GW00578272

COLLECTION POÉSIE

Anthologie de la poésie lyrique française des XIIe et XIIIe siècles

Édition bilingue
de Jean Dufournet

GALLIMARD

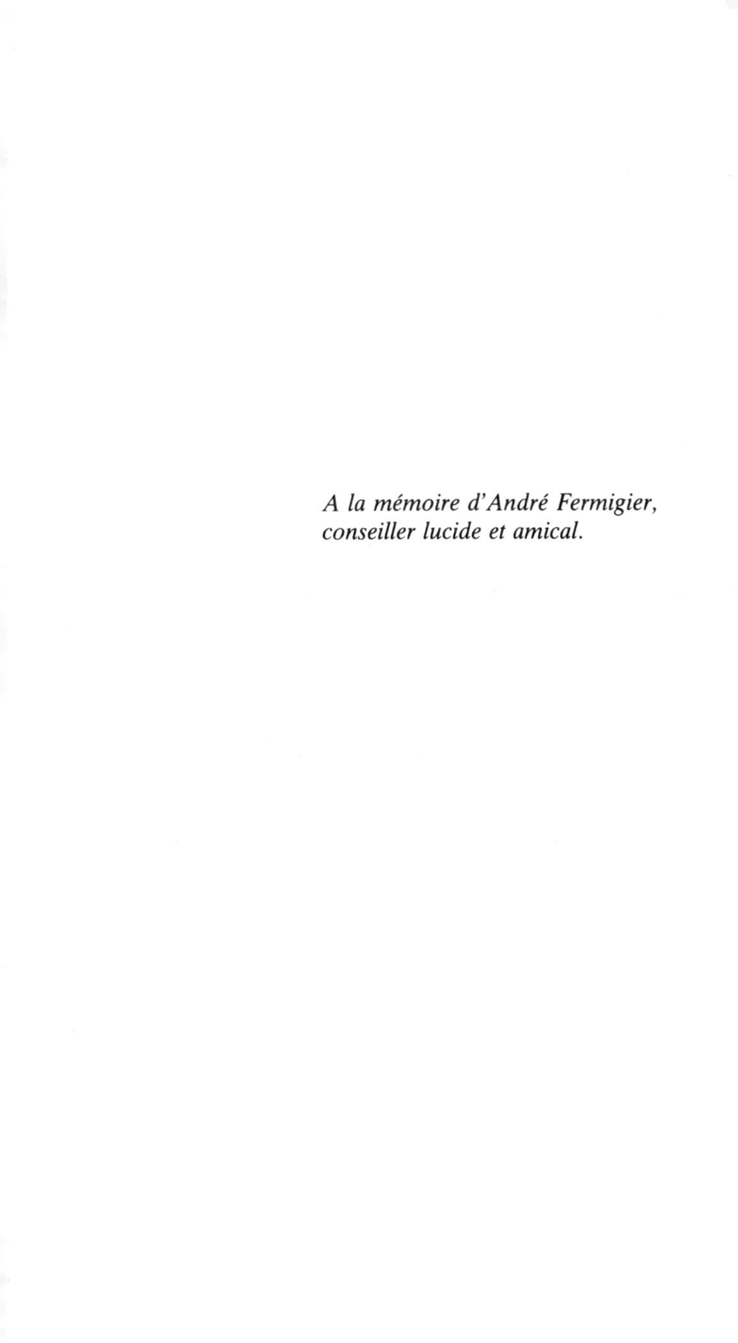

A la mémoire d'André Fermigier,
conseiller lucide et amical.

PRÉFACE

> Ce qui importe, ce n'est pas de dire, mais de redire, et dans cette redite de redire chaque fois encore une première fois.
>
> (Maurice Blanchot, *L'Entretien infini*, Gallimard, 1969.)

Heureux temps où les princes chantaient l'amour courtois, où les hommes d'action étaient aussi poètes, ou mécènes et protecteurs des trouvères[1] *! Parmi les auteurs figurant dans cette anthologie, on trouvera Richard Cœur-de-Lion, roi d'Angleterre, qui fut l'un des chefs de la Troisième Croisade, et son ami Robert de Sablé, qui commanda sa flotte, fut le grand maître des Templiers de 1191 à 1196. L'un des premiers trouvères, Conon de Béthune, joua un rôle important pendant la Quatrième Croisade et dans l'empire latin de Constantinople, vaillant chef de guerre, ambassadeur éloquent, régent respecté. Hugues de Berzé, Guillaume de Ferrières, vidame de Chartres, et Guy, châtelain de Coucy, prirent part à cette Quatrième Croisade, tout comme Thibaut IV de Champagne, roi de Navarre, participa à la Croisade de 1239 avec d'autres poètes (Philippe de Nanteuil, Robert de Memberoles) et aux luttes politiques, aux guerres de son temps. Hugues III de La Marche ne semble pas être*

1. Ce mot désigne les poètes en langue d'oïl.

revenu de la croisade de 1270. Dès la fin du XIIIe *siècle, on évoquait cette époque avec nostalgie, si l'on en juge par les vers de Jakemes dans son prologue du* Roman du Châtelain de Coucy *: « Jadis, les princes et les comtes qu'Amour tenait au nombre des siens écrivaient des chants, des récits et des jeux-partis en rimes d'agréable facture : ainsi, ils rendaient grâces à Amour tout en plaignant leurs tourments*[2]. »

S'il y eut de perpétuels échanges entre les chevaliers et les trouvères, et une constante osmose de l'élite au peuple et du peuple à l'élite par l'intermédiaire des jongleurs, il est évident que les cours ont joué au Moyen Âge un rôle prépondérant dans l'élaboration et la diffusion de la nouvelle littérature, lyrique et romanesque, et de la civilisation, qu'on peut qualifier de courtoises. Sans doute, à l'origine de cette extraordinaire floraison dans les pays d'oïl, faut-il placer Aliénor d'Aquitaine qui fut tour à tour reine de France (1137) et reine d'Angleterre (1154)[3].

Petite-fille du premier troubadour[4] *Guillaume IX de Poitiers qui, à la tête d'un vaste et riche duché, s'adonna, la paix aidant, à la poésie et aux belles-lettres, elle apporta ses goûts littéraires à la cour de France de son premier mari Louis VII, et probablement des troubadours l'accompagnèrent, peut-être Marcabru et Jaufré Rudel, dont certains pensent qu'elle fut sa princesse lointaine. Mais cette reine impétueuse et indépendante ne pouvait s'accommoder longtemps d'un époux morose et timoré, et la Seconde Croisade, où elle le suivit, fit éclater leurs différends et entraîna leur divorce (mars 1152). Redevenue duchesse d'Aquitaine, elle épousa, dès le mois de mai, Henri Plantagenêt, comte d'Anjou et duc de Normandie, qui devint roi d'Angleterre peu après (1154). Plus puissante que jamais, Aliénor entre-*

2. Traduction d'Aimé Petit et de François Suard, *Le Châtelain de Coucy par Jakemes,* Troesnes-La Ferté Milon, Corps 9 Editions, 1986, p. 21.

3. Voir, sur cette reine, née vers 1122, morte en 1204, les deux articles essentiels de Rita Lejeune, « Le Rôle littéraire d'Aliénor d'Aquitaine », dans *Littérature et société occitane au Moyen Age,* Liège, Marche romane, 1979, pp. 403-472, et d'Edmond-René Labande, « Pour une image véridique d'Aliénor d'Aquitaine », dans *Bulletin de la Société des antiquaires de l'Ouest,* Poitiers, 1952, pp. 175-234.

4. Ce mot désigne les poètes en langue d'oc.

tiendra une cour fastueuse qui l'accompagnera dans ses États, et surtout, de 1165 à 1173, à Poitiers et en Aquitaine, et qui bouleversera l'univers culturel de l'Occident médiéval : « Contacts personnels de souverains et de barons ; mariages mixtes ; rencontres des élites intellectuelles ; admiration des masses pour les trésors de Byzance ; désir de rénovation littéraire ; déplacements de troubadours, de trouvères et jongleurs ; mœurs plus libres et esprits moins conformistes : toutes ces conséquences de la Seconde Croisade expliquent la révolution littéraire à laquelle on assiste en France dès 1150[5]. »

Alliant la force à la féminité, favorisant l'essor de ce qu'on a appelé le miracle anglo-angevin, Aliénor vécut entourée d'une brillante pléiade de troubadours[6] *qui célébrèrent sous des pseudonymes leur* domna, *la Souveraine, l'Amie. Alors naquirent la poésie lyrique courtoise en langue d'oïl et le roman, d'abord sous la forme des romans d'Antiquité,* Le Roman de Thèbes *et surtout une adaptation originale de l'*Énéide, Énéas, *qui divulgua la thématique amoureuse empruntée à Ovide et mit à la portée du monde chevaleresque l'Antiquité classique*[7]. *Sous les auspices de la reine, Wace traduisit dans son* Brut *la fameuse* Historia regum Britanniae *de Geoffroy de Monmouth, qui raconte l'histoire légendaire des rois anglais, et il écrivit la chronique ascendante des ducs de Normandie, d'Henri II à Rollon.*

Il est probable que Chrétien de Troyes a fréquenté cette cour et rencontré des troubadours dont il a repris les motifs et les formules de la cortesia *qu'il a transformée en courtoisie romanesque ; d'ailleurs, l'un de ses poèmes s'inspire de la chanson de l'alouette de Bernard de Ventadour. D'autre part, il a composé, peut-être sous la même influence, des contes ovidiens et* Philomena, *ainsi qu'un* Tristan *(aujourd'hui perdu), dont la légende, de l'univers celtique, transita par l'entourage d'Aliénor, en particulier grâce à Thomas qui*

5. Rita Lejeune, article cité, p. 411.

6. Cercamon, Marcabru, Alegret, Marcoat, Peire de Valeria, Arnaut-Guilhem de Marsan, Peire Rogier, Peire d'Auvergne, Bernart Marti, et sans doute Rigaut de Barbezieux.

7. Voir Aimé Petit, *Naissances du roman. Les techniques littéraires dans les romans antiques du XIIe siècle*, Champion, 1985.

reprit[8] *les doctrines et la casuistique amoureuse chères aux poètes d'oc. Plus tard, Chrétien suivra la fille d'Aliénor, Marie, qui deviendra en 1164 comtesse de Champagne en épousant Henri Ier.*

La cour anglo-angevine aida à la diffusion sur le continent de la matière de Bretagne et des contes celtiques, d'autant plus facilement qu'itinérante entre l'Angleterre, l'Anjou, le Poitou et l'Aquitaine, elle put recueillir de la bouche même des conteurs, comme le fameux Breri, des récits oraux qui sont à la source des romans arthuriens et des lais de Marie de France, dont la géographie coïncide avec les déplacements d'Aliénor. L'activité littéraire s'étendit aussi, à la même époque, à des récits d'amours contrariées (Piramus et Tisbé, Floire et Blancheflor) *et d'adultères (*Éracle, Ille et Galeron *de Gautier d'Arras).*

Cette culture s'affine dans les cours d'amour dont les jeux intellectuels se nourrissent de la psychologie ovidienne et des doctrines des troubadours, et qui débattent des cas les plus subtils, qu'André le Chapelain, un commensal de la cour de Poitiers, finira par codifier pour Marie de Champagne à la fin du XIIe siècle dans son Art d'aimer[9]. *A la base des jugements émis, on trouve l'idée que « le véritable amour ne peut étendre ses droits entre époux » (jugement XVI) et que « l'affection entre époux et le véritable amour entre amants se révèlent de nature complètement opposée et ont leur origine dans des mouvements tout à fait différents » (jugement VIII). De ces débats mondains naquit la vogue des* partimens *occitans, puis, en langue d'oïl, des jeux-partis dialogués où deux partenaires défendent, tour à tour, sur un problème amoureux, deux opinions différentes. Il semble que le premier jeu-parti français ait opposé, vers 1180, un fils d'Aliénor d'Aquitaine, Geoffroy de Bretagne, et son protégé, le plus grand des trouvères, Gace Brulé. Le même Geoffroy échangea des couplets en langue d'oïl avec le troubadour*

8. Peut-être, d'après Rita Lejeune, vers 1154-1158, à un moment où « une Aliénor radieuse de près de trente ans vient d'épouser après divorce un radieux jeune duc devenu roi à près de vingt ans » (article cité, p. 426). Mais ce n'est pas l'avis d'Emmanuèle Baumgartner, *Tristan et Iseut,* PUF, 1987.

9. André le Chapelain, *Traité de l'amour courtois,* introduction, traduction et notes par Claude Buridant, Klincksieck, 1974.

Gaucelm Faidit qui, lui, s'exprime en occitan. Ce bilinguisme suggère une sorte d'osmose entre le Sud et le Nord, et l'on peut poser que les trouvères ont fait leur apprentissage auprès de poètes d'origine méridionale.

Il ne faut certes pas trop réduire le rôle du mari, Henri II Plantagenêt, souverain intelligent et cultivé. Mais quand on considère le temps et les soins qu'il a consacrés à l'action politique et militaire, quand on se rend compte que ses goûts le portaient plutôt vers les récits historiques (chansons de geste et chroniques), vers la littérature didactique comme le Policraticus *de Jean de Salisbury, l'on ne peut qu'attribuer à Aliénor la part la plus importante du mécénat et de l'activité littéraire de la cour anglo-angevine, du moins jusqu'en 1173, c'est-à-dire jusqu'au moment où, à la suite de plusieurs complots contre Henri II, elle tomba entre ses mains et resta captive pendant dix ans, reléguée en Angleterre.*

Avec Aliénor, la grande dame cultivée, la femme courtoise fait son entrée dans la société et la littérature françaises ; on peut même dire que, grâce à elle et à la courtoisie, on a redécouvert la femme.

Sortie de captivité en 1184, redevenue toute-puissante en 1189 à la mort d'Henri II, elle se consacra dès lors à la politique, se dépensant sans compter pour tirer de sa prison germanique son fils Richard Cœur-de-Lion. Mais son influence se perpétua à travers ses enfants et petits-enfants qui animèrent de leur goût raffiné et de leur culture les centres littéraires les plus actifs, dignes de cette reine d'exception, représentée sur son lit de mort, dans l'abbatiale de Fontevrault, tenant entre les mains un petit livre sur lequel elle médite.

Son premier fils, Henri au Court Mantel (1155-1183), fut l'idole des troubadours, de Bertran de Born qui, à sa mort, composa deux planhs, *et devint le sujet de légendes romanesques dont on retrouve un écho chez Dante. Plus connu, Richard Cœur-de-Lion (1157-1199), poète lui-même, s'il vécut au milieu des troubadours qui l'ont célébré et cité*[10],

10. Le Dauphin d'Auvergne, le moine de Montaudon, Guiraut de Borneil, Arnaut Daniel, Bertran d'Alamanon, Guiraut de Calanson, Folquet de Marseille, Peire Vidal, Bertran de Born...

s'intéressa aussi aux écrivains d'oïl, lié à l'un des premiers trouvères, Robert de Sablé. Il inspira des chroniques, le Chronicon *(1184), et surtout, en 12 000 vers, l'*Estoire de la Guerre sainte *d'Ambroise. D'autre part, Ulrich de Zatzikhoven révèle qu'il tira le sujet de son roman sur* Lanzelot *d'un livre qu'un compagnon de captivité de Richard, Hugues de Moreville, avait apporté en Allemagne. Un autre fils d'Aliénor, Geoffroy, comte puis duc de Bretagne (1158-1186), poète lui aussi, anima une cour bilingue où se rencontrèrent des troubadours, Bertran de Born, Guiraut de Calanson, Gaucelm Faidit, Peire Vidal, et des trouvères, Guiot de Provins et Gace Brulé. Holger Petersen Dyggve pense même que des liens d'amitié unirent ce dernier, grande figure d'un poète familier d'un prince, et Bertran de Born. La Bretagne continentale prend alors une place importante dans les romans (*Érec et Énide *de Chrétien de Troyes) et les* Lais *de Marie de France, comme dans la chanson de geste :* Aiquin *raconte, en 3 087 décasyllabes, la conquête légendaire du duché par Charlemagne.*

C'est sans doute la fille d'Aliénor et de Louis VII, Marie (1145-1198), épouse d'Henri de Champagne, qui joua dans les lettres le rôle le plus comparable à celui de sa mère, au sein d'une véritable cour, au sens ancien, juridique, du terme curia, *mais aussi au sens d'assemblée liée par les mêmes rites dont la poésie est une importante composante. Sans revenir sur sa participation aux « jugements d'amour » dont sortit le traité d'André le Chapelain, elle fut en Champagne l'égérie d'une école lyrique qui, vers 1180-1190, attira de nombreux poètes, entre qui les débats pouvaient dégénérer en polémique littéraire. Poètes très connus, comme Chrétien de Troyes, Conon de Béthune, Gace Brulé, ou récemment redécouverts*[11]*, des Briards comme Gilles de Vieux-Maisons et Guillaume de Garlande, des Champenois, Pierre de Molins, Richard de Semilli, Huon de Valery, Aubin de Sézanne. Dès cette époque, se tissèrent des liens entre la Champagne et l'Artois : Huon d'Oisy-le-Verger, le maître en poésie de Conon de Béthune, fut à la fois châtelain de Cambrai de 1171*

11. Grâce aux travaux de Holger Petersen Dyggve.

*à 1190 et vicomte de Meaux, et il épousa en secondes noces la fille de Thibaut de Blois et d'Aélis qui était la sœur de Marie. Quant à Conon de Béthune, il possédait des biens dans le Vermandois dont la comtesse était une cousine de Marie, Élisabeth. D'autre part, Marie engagea Gautier d'Arras à écrire son roman d'*Éracle, *qui a d'étroits rapports avec Provins, et Chrétien de Troyes à exalter, dans* Le Chevalier de la charrette, *le parfait amant, Lancelot. Rappelons aussi qu'Adam de Perseigne rédigea pour elle une paraphrase du psaume* Eructavit, *et que Geoffroy de Villehardouin, le futur chroniqueur de la Quatrième Croisade, fut alors maréchal de Champagne.*

La seconde fille d'Aliénor et de Louis VII, Aélis, épousa en 1152 Thibaut V, frère d'Henri Ier de Champagne et comte de Blois, souvent cité, ainsi que son fils Louis, par Gace Brulé. Cette cour, à l'origine de romans comme Partonopeus de Blois, *fut un centre actif de rencontres entre trouvères, Gace Brulé, Huon d'Oisy, et troubadours, Marcabru, Raimbaut de Vaqueiras, Gaucelm Faidit. Mathilde de Saxe (1156-1189), née du second mariage d'Aliénor et épouse d'Henri le Lion, duc de Bavière et de Saxe, mit sans doute les* minnesänger *à l'école des troubadours et commanda au prêtre Conrad la version allemande de* La Chanson de Roland ; *sans doute fut-elle aussi pour quelque chose dans la naissance du* Tristant *d'Eilhart d'Obert. Quant à la fille de la reine qui porta le même nom que sa mère (1161-1214) et qui épousa le roi de Castille Alphonse VIII (dont elle eut Blanche de Castille), elle fut le lien entre la France méridionale et la Castille : Guilhem de Bergadan, Peire Vidal fréquentèrent sa cour, et d'autres seigneurs castillans attirèrent des poètes comme Peire Rogier, Perdigon, Emeric de Peguilhon, Guiraut de Borneilh. Enfin, Jeanne, qui fut reine de Sicile de 1171 à 1189, permit probablement des échanges féconds entre la France et l'Italie du Sud, d'autant plus que son mari Guillaume II eut comme précepteurs de grands lettrés, Pierre de Blois et Gautier l'Anglais.*

L'on voit donc que la cour d'Aliénor d'Aquitaine et d'Henri II Plantagenêt a suscité une vaste zone littéraire à l'ouest de la France, au sud et au nord de la Loire, une civilisation bilingue, entre oc et oïl, qui a introduit, grâce aux liens avec la Grande-Bretagne, la légende de Tristan et Iseut, les lais celtiques, les thèmes et motifs arthuriens, et tout un réseau très dense de relations familiales qui a diffusé la culture courtoise dans la poésie et le roman, tant vers les cours de Blois et de Champagne qu'en Allemagne, en Sicile et en Castille.

A partir de 1173, avec la captivité d'Aliénor, c'est la Champagne qui, autour de Marie, devient le foyer le plus actif, où se retrouvent les plus grands poètes[12]*, sans que d'ailleurs la cour comtale fût l'unique centre littéraire : alentour brillèrent avec plus ou moins d'éclat des cours d'importance inégale*[13]*. Les grands vassaux et les petits seigneurs, présents aux fêtes comme aux procès de la cour comtale, prenant part aux mêmes entreprises, reproduisaient, de retour dans leurs châteaux, les habitudes et répandaient les goûts de leur suzerain, cultivant le lyrisme et la courtoisie. La Champagne est alors une « sorte de creuset où se mêlent et s'additionnent les influences méridionales, picardes, hennuyères*[14] *». Rita Lejeune a pu écrire que « de ce soleil champenois irradient maintenant plusieurs flèches*[15] *» vers le Vermandois et l'Artois, vers la Flandre du comte Philippe d'Alsace, commanditaire du* Conte du Graal *de Chrétien de Troyes, vers le Hainaut de Baudouin, le futur empereur de Constantinople, qui épousa la fille de Marie et à qui Jean Renart dédia* Le Roman de l'Escoufle, *vers le comté de Mâcon où vécut Scholastique, une autre fille de Marie, vers le comté de Bar, sous Henri II et Thibaut II, ami de Gautier d'Épinal.*

Ce foyer champenois connaîtra un nouvel éclat avec le

12. Chrétien de Troyes, Blondel de Nesle, Conon de Béthune, Gace Brulé, Guiot de Provins. Sur la Champagne littéraire au XIIIe siècle, on lira la thèse (en préparation) de Mme M. G. Grossel.

13. Celle des seigneurs de Châtillon-sur-Marne, liés aux Garlande-Livry, eux-mêmes apparentés aux Trie et aux Mauvoisin, qui fournirent des poètes de qualité ; celles de Dreux-Braine, de Brienne-Ramerupt, d'Arcis et Chacenay, de Dampierre-de-l'Aube, de Joinville et Sailly, d'où sortirent les dignitaires du comté.

14. Michel Parisse, *La Noblesse lorraine (XIe-XIIIe siècles)*, PUF, 1976, p. 764.

15. Rita Lejeune, article cité, p. 467.

petit-fils de la comtesse Marie, le prince-poète Thibaut IV, qui avait grandi à la cour de France où il rencontra Gace Brulé, auprès d'un prince cultivé, le futur Louis VIII, et qui noua des relations privilégiées avec Thibaut de Blaison et Philippe de Nanteuil. Plus tard, il maintiendra les traditions familiales, lié à Raoul de Soissons, accueillant les trouvères Chardon de Croisilles, Guillaume le Vinier, Jacques d'Amiens, etc.

De la Champagne encore la culture courtoise essaimera vers la Lorraine où elle s'épanouit de 1250 à 1270 avec Gautier d'Épinal et Garnier d'Arches, vers l'Allemagne où un Souabe, Hartmann von Aue, traduira Érec et Énide, *et le Bavarois Wolfram von Eschenbach écrira son* Wilhemhalm *et son* Parzival, *voire vers la Grèce où le neveu du grand Villehardouin était devenu prince de Morée.*

La courtoisie des troubadours et des trouvères est devenue européenne par des échanges constants de prince à prince, de poète à poète. D'une cour à l'autre, de proche en proche, le courant poétique gagne les châteaux des plus petits seigneurs ; on échange thèmes et motifs, manuscrits et poètes, et se rencontrent grands féodaux, petits nobles, clercs, récitants et jongleurs. Une haute aristocratie encourage, accueille, commande les œuvres littéraires, et « les poètes à gages vivent de ses bienfaits, voyageant de cour en cour, comme Guiot de Provins qui célèbre dans sa Bible *les seigneurs dont il fut le bénéficiaire*[16] *». La poésie s'enseigne et se transmet d'homme à homme, de Gace Brulé à Thibaut de Champagne, des comtes de Soissons à Gautier de Coinci ; elle s'étoffe et se diversifie en poèmes tant aristocratiques que popularisants, devenant même roman sous la plume de Jean Renart dans* Guillaume de Dole.

Parmi les trouvères, les uns sont des chevaliers : ils subissent la fascination poétique et veulent briller également dans les armes et les lettres, tels que Gautier d'Epinal qui exalte cette double passion dans un envoi à Thibaut II de Bar :

16. Roger Dragonetti, *La Technique poétique des trouvères dans la chanson courtoise*, Bruges, De Tempel, 1960, p. 318.

Barrois, Amors, qui les forz afoiblie,
Droiz est qu'ele vos ait a son plaisir ;
Bien savez li et guerre maintenir[17].

Ou Conon de Béthune que son compagnon de croisade Villehardouin qualifie de « bon chevalier, sage et bien éloquent ». Les autres, ménestrels ou jongleurs[18], *vivent de la protection des grands : c'est ainsi que Colin Muset fréquenta plusieurs cours aux confins de la Champagne, de la Lorraine et de la Bourgogne*[19].

Les trouvères, quelle que soit leur classe sociale, doivent gagner la faveur de leurs protecteurs qui consacre leur gloire. Leur dame secrète ne se confond pas toujours avec la protectrice à qui ils présentent leur chanson. Ainsi Jean de Trie a-t-il composé un poème à deux envois, destinés, le premier, à la belle pour qui il brûle d'amour, le second, à la Dame de Blois, Marie. D'autres, comme Gace Brulé, sont assez célèbres et estimés pour entretenir des rapports d'amitié avec des princes et des princesses de Guyenne, de Blois et de Champagne.

Parmi ces protecteurs, souvent liés par la parenté[20], *la vassalité et la même culture, les uns se contentent d'être des mécènes éclairés, les autres pratiquent, plus ou moins constamment, la poésie : Huon d'Oisy, Robert de Sablé, Thibaut II de Bar et, bien sûr, Thibaut IV de Champagne. Mais, à côté de ces relations souvent cordiales de mécène à protégé, on découvre un compagnonnage poétique d'amis*

17. Traduction de Jacques Kooijman, *Trouvères lorrains. La poésie courtoise en Lorraine au XIIIe siècle,* Nancy, 1974, p. 149 : « L'Amour, Barrois *(comte de Bar),* qui rend faibles les forts, Peut à bon droit vous plier à son gré : Comme à la guerre, vous savez y faire. »

18. Pour la distinction entre les deux termes, voir la fin de cette préface, et notre livre, *Rutebeuf, Poèmes de l'infortune et poèmes de la croisade,* Champion, 1979, pp. 21-25.

19. Celles de Renart de Choiseul, de Simon de Clefmont, de Gautier de Reynel, de Gautier II de Vignory, de Guy de Joinville-Sailly, ainsi qu'en Lorraine, les cours de Garnier d'Arches, lui-même poète, et de la duchesse Catherine de Luxembourg, et dans le comté de Bar celle de Vaudémont.

20. W. M. Newman, *Les Seigneurs de Nesle en Picardie, leurs chartes et leur histoire, étude sur la noblesse régionale, ecclésiastique et laïque,* Picard, 1971, p. 7.

qui partagent le même idéal. Ainsi autour de Gace Brulé se retrouvent Gautier de Dargies, Blondel de Nesle, sans doute Conon de Béthune, Guillaume de Garlande (Noblet), *Gilles de Vieux-Maisons* (Gillot *ou* Gillet), *Pierre de Molaines, Bouchart de Marly et surtout l'*alter ego, *Guy de Ponceaux qui serait, selon Holger Petersen Dyggve, Guy châtelain de Coucy. Ces gentilshommes lettrés s'exaltent pour les mêmes valeurs, se lisent et se consultent, participent « à un idéal poétique qui, pour être abstrait dans son style, n'en était pas moins soutenu par la passion du chant qu'encore maintenant on sent battre sous les formules de l'envoi*[21] ».

Enfin, de la Champagne, le goût de la poésie et du grand chant d'amour passa, au cours du XIII*e siècle, dans les milieux bourgeois d'Arras qui, rivaux de l'ancienne aristocratie, en copièrent les mœurs, favorisèrent les poètes et la vie littéraire, reprirent l'héritage de Gace Brulé et de Thibaut de Champagne. Ainsi un financier comme Pierre Wion apparaît-il dans des poèmes de Jean Érart, Jean Bretel, Cuvelier et Adam de la Halle, et un autre de ces patriciens, Audefroi Louchart, était-il lié à Jean Bretel.*

De son côté, le comte d'Artois, Robert II, neveu de saint Louis, aimait les livres et les poètes. A en croire Le Jeu du Pèlerin, *il admit en sa* maisnie *Adam de la Halle, « parfait en chanter », habile à composer chansons,* partures *(jeux-partis), ballades et motets* entés, *c'est-à-dire comportant des réminiscences mélodiques d'autres œuvres, et le premier à faire entendre des rondeaux en style polyphonique à trois voix. Le comte emmena Adam avec lui en Sicile (1282), auprès de son oncle, Charles d'Anjou, trouvère lui-même et excellent musicien, juge de débats poétiques et partenaire de Perrin d'Angicourt. Souvent les trouvères appartiennent à la haute ou moyenne aristocratie : c'est ainsi qu'un jeu-parti réunit Charles d'Anjou, Raoul de Soissons, Henri III de Brabant et Gillebert de Berneville. Cette cour comtale d'Artois avait des liens avec d'autres cours, celle de Brabant dont le duc-poète Henri III protégea les chevaliers trouvères Perrin d'Angicourt et Gillebert de Berneville, et les jongleurs*

21. Roger Dragonetti, *op. cit.*, p. 361.

Carasaus et Thomas Herier, ou celle de Flandre, dont le comte Guy de Dampierre « fut un protecteur magnifique des ménestrels de langue d'oïl : son goût du faste, son sens de la grandeur, sa passion pour l'art et la littérature, sa générosité dans le style des paladins firent de la cour de Flandre, de 1265 à 1285 environ, une des plus brillantes de l'Occident[22] », *que fréquentèrent Thibaut de Bar son beau-frère, Adenet le Roi, Perrin d'Angicourt, Jacques de Cisoing.*

A Arras, des personnages de toutes conditions sociales[23] *s'exercèrent au grand chant lyrique, mais aussi au jeu-parti, à la pastourelle et à la fatrasie. Cette école poétique s'épanouit autour de Jean Bretel dont la richesse et l'importance sociale firent un protecteur, un conseiller et un prince des poètes au sein de la Carité* (confrérie) *des jongleurs et des bourgeois d'Arras. Sire Jehan, comme on l'appelle, est lui-même un auteur fécond de jeux-partis, qui connaît et imite Thibaut de Champagne et dont on n'a pas encore mesuré la juste valeur ; un autre poète, Grieveler, vante son talent :*

> Princes del Pui, mout bien savés trover,
> Ce m'est avis, partures et chansons.

Jean Bretel anima le puy[24], *cette académie littéraire instituée pour* maintenir amour et joie et jouvent *(jeunesse) là où sont* li bon entendeour *(connaisseurs)* parmi la gent jolie *(gaie) des poètes. Les trouvères étaient invités, en vue d'un tournoi poétique, à y présenter leurs chansons qu'ils interprétaient eux-mêmes ou se contentaient d'envoyer. Ce sont plutôt de très habiles versificateurs que de grands lyriques de la lignée de Gace Brulé et de Thibaut de Champagne : « Les grands trouvères courtois prétendaient vivre en poésie une réalité seconde, mais chez les trouvères d'Arras ce divertissement*

22. *Ibid.*, p. 351.
23. *Ibid.*, pp. 365-366.
24. Sur cette institution, voir Roger Berger, *Littérature et société arrageoises au* XIIIe *siècle. Les Chansons et dits artésiens*, Arras, 1981 ; Marie Ungureanu, *La Bourgeoisie naissante. Société et littérature bourgeoises d'Arras aux* XIIe *et* XIIIe *siècles*, Arras, 1955 ; Jean Dufournet, *Adam de la Halle à la recherche de lui-même ou le Jeu dramatique de la Feuillée*, SEDES, 1974.

profond de la grande époque est devenu un agrément destiné à orner l'existence et à flatter le bon goût d'une bourgeoisie raffinée[25]. »

Toujours est-il que c'est de cette brillante vie de cour que naquirent la courtoisie et sa quintessence, l'amour courtois, qui s'exprimèrent particulièrement dans la chanson lyrique et dans le roman en vers octosyllabiques. Il convient d'introduire certaines distinctions. La courtoisie représente l'idéal et le comportement de l'homme de cour : générosité chevaleresque, politesse mondaine, raffinement des mœurs, élégance morale, attention aux bienséances ; tandis que c'est « un art d'aimer inaccessible au commun des mortels, cet embellissement du désir érotique, cette discipline de la passion, et même cette religion de l'amour, qui constituent l'amour courtois[26] », *que les poètes appellent* vraie amor, bone amor *et surtout* fine amor. *Peut-être faudrait-il aller plus loin et opposer l'amour courtois au sens large, caractérisé par « un besoin de délicatesse, un souci de raffinement dans l'art d'aimer, un tendre et respectueux émoi à la seule pensée de la femme aimée promue poétiquement et moralement au rang de* dame, *enfin l'idée que l'amour, en lui-même, est source de valeur, sinon de vertu*[27] », *à la* fine amor, *au sens plus étroit de sacralisation, voire de religion de l'amour. La courtoisie est fondée sur la mesure* (mezura), *modestie, contrôle de soi, modération des désirs, patience, équilibre, et sur la disponibilité, que les troubadours appellent* joven, *générosité*[28], *absence de calcul et d'arrière-pensée. Mais la courtoisie n'interdit pas la passion de la* fine amor, *l'exaltation du cœur et de l'esprit.*

Cet amour passionné, par essence adultère en fait ou en pensée, s'adresse à une femme mariée et ne se concilie pas avec le mariage, qui est considéré comme nul et non avenu

25. Roger Dragonettei, *op. cit.*, p. 579.
26. Jean Frappier, *Amour courtois et Table ronde,* Genève, Droz, 1973, p. 3.
27. *Ibid.* p. 96.
28. Moshé Lazar, *Amour courtois et fin'amors dans la littérature du XIIe siècle,* Klincksieck, 1964, pp 28-46.

pour être, à l'ordinaire, le fruit de tractations familiales fondées sur l'intérêt, sans qu'interviennent les sentiments des conjoints, dans une société où l'on « voit l'épouse, la dame, déplacée comme un pion, de case en case; de la partie, les enjeux étaient d'importance : il s'agissait d'honneur, de gloire, de pouvoirs[29] *». La* fine amor *résulte, elle, d'un libre choix. Sans doute Chrétien de Troyes entreprit-il de concilier amour et mariage; mais, pour les trouvères, celui qui chante et désire l'amour d'une dame n'est jamais son mari. Par là, l'amour courtois, tout en développant la sociabilité, entre en conflit avec la morale féodale et chrétienne, puisqu'il entraîne la déloyauté envers le mari qui est aussi le seigneur.*

Cette dame dévotement aimée est le plus souvent d'un rang supérieur à celui de l'amant qui, toujours inquiet de mériter et de conserver ses faveurs, vit dans la souffrance, qui est source de joie. Les obstacles et l'éloignement augmentent et épurent le désir amoureux. Amour difficile dont l'objet est objet de peur. S'il n'est pas au départ une passion aveugle comme celle de Tristan et d'Iseut, s'il repose sur un choix autonome, hors de toute contrainte sociale, si la dame est librement élue pour ses qualités morales et physiques, pour sa valeur, son image et son idée possèdent l'être tout entier. Il se mêle « à cette obsession inlassablement nourrie d'elle-même un peu d'ivresse onirique — la dame physiquement aimée en rêve — et des extases[30] *». L'amant se perd dans la contemplation de la dame. Selon André le Chapelain,* Amor est passio quaedam innata procedens ex visione et immoderata cogitatione formae alterius sexus, *« l'amour est une passion naturelle qui naît de la vue de la beauté de l'autre sexe et de la pensée obsédante de cette beauté. » Cet* ensongement, *qui se complaît en lui-même, se renforce de ses tourments et s'exalte en joie spirituelle, le* joi *des troubadours*[31], *qui n'exclut pas le bonheur physique, et cultive la tristesse qui, en se rapportant à la dame, prolonge dans toute sa force le sentiment.*

29. Georges Duby, *Le Chevalier, la femme et le prêtre,* Hachette, 1981, p. 89.
30. Jean Frappier, *op. cit.,* pp. 86-87.
31. Voir le livre de Charles Camproux, *Le Joy d'Amor des troubadours. Jeu et Joie d'amour,* Montpellier, Causse et Castelnau, 1965.

Le je *du poète monologue avec lui-même et ne voit plus le monde qu'à travers l'écran de son obsession. L'amant, après avoir découvert l'amour, vit dans la nostalgie et le repentir, l'esprit tourné vers le futur, qui lui apportera sa récompense et la fin de ses souffrances. Il vit dans un espace hivernal, synonyme de tourment et de vide, éloigné de la dame par la douloureuse déchirure de l'absence dont la cause se trouve tantôt chez l'amant qui a mal agi, tantôt chez les autres, les médisants, qui font obstacle à la joie d'amour, tantôt chez l'aimée qui rebute le poète par son orgueil. Cette métaphysique amoureuse rappelle le platonisme, par la réminiscence d'un monde idéal, et le christianisme, par le besoin d'expier et la souffrance rédemptrice.*

L'amour est une maladie, une enferté, *une blessure, d'après la rhétorique métaphorique reprise d'Ovide. L'amant* navré *d'une* plaisante *blessure, d'une agréable souffrance, n'attend la guérison que de sa dame, son* mire, *son médecin, qui le blesse et le guérit, et qui le prive de son cœur. « C'est un mal nécessaire, purifiant, et inséparable du véritable amour. Celui-ci est toujours insatisfait, remis en question et se présente comme une promesse que la dame tarde à réaliser*[32]. »

L'amour est une folie, autre lieu commun emprunté à Ovide. Ja n'ameroit nus sagement, *dit Gace Brulé. Aucune raison, fût-elle la plus ferme, ne résiste à l'amour qui fait perdre l'esprit, transforme le trouvère en homme* escilliez, *égaré, qui parle* folement. *Impossible de* maintenir son sens, *car la passion, dit encore Gace Brulé,* me fait penser Tant que je sui hors de mon escient *(bon sens). Même avec la sagesse de Salomon, ajoute le Châtelain de Coucy,* si me feroit Amors por fol tenir. *Cette folie, aux antipodes de l'habile sagesse des faux amants, amène à désirer un objet inaccessible qui fait mourir, à connaître son bien et à préférer sa perte, à aimer le rêve interdit, à braver l'obstacle du rang, comme l'enfant qui veut cueillir l'étoile, selon le Châtelain de Coucy :*

Empris ai greignor folie
Ke li fols enfes ki crie

32. Moshé Lazar, *op. cit.*, pp. 61-62.

Por la bele estoile avoir
K'il voit haut et cler seoir[33].

Visant trop haut, l'amant entre dans un long cycle de craintes et de souffrances, qui finissent par le rendre égal à la dame. C'est sans doute la vraie sagesse : Nus n'est ne sages ne senez *(sensé)* S'Amours nel *(ne le)* fet fol devenir *(Raoul de Soissons), en sorte que les trouvères ne cessent de se demander :* ne sai se faz sens u foloie, « *je ne sais si je suis sensé ou commets une folie* » *(Audefroi le Bastart). Guillaume de Lorris reprendra vers 1228 le leitmotiv :* C'est fos sens, c'est sage folie. *La seule folie véritable, et condamnable, c'est de renoncer à l'amour*[34].

Cette folie entraîne la démesure, l'outrage, *louable excès de hardiesse, car signe d'un vrai amour. L'amant courtois, tout en restant modeste, éprouve une involontaire audace qui le pousse à l'aveu. Mais la* couardise *l'emporte à l'ordinaire, liée à l'amour même, et la chanson se substitue à l'aveu. L'amant vit dans la crainte,* pensif, esgaré, esbahi, *frappé de stupeur :* li sages plus s'esmaie, « *le sage est le plus inquiet* » *(Thibaut de Champagne); il* s'oublie, *enfermé dans un silence révérencieux. Celui qui est trop audacieux n'aime pas :*

Quar nus n'aime seürement
Et false est amors qui ne crient[35].

L'amour, violence vécue dans la crainte, conduit au mutisme, et le chant doit suggérer cette défaite.

L'image se modifie peu à peu au cours du XIII*e siècle. Pour le vidame de Chartres, il convient de s'en tenir à une modeste audace. L'amant doit manifester une certaine habileté dans l'usage de la parole courtoise : trop* celer, *pour Robert de*

33. « Je me suis lancé dans une plus grande folie que le fol enfant qui crie pour avoir la belle étoile qu'il voit briller haut dans le ciel. »

34. Sur tout cela, voir l'excellent article de Roger Dragonetti, « Trois Motifs de la lyrique courtoise confrontés avec les Arts d'aimer », dans *La Musique et les Lettres. Etudes de littérature médiévale,* Genève, Droz, 1986, pp. 125-168.

35. Ce sont des vers de Gace Brulé : « Car on n'aime pas dans la sécurité, et c'est un faux amour que celui qui ne craint pas. »

Blois, est déraisonnable, même s'il faut éviter d'être insistant. Plus tard, Richard de Fournival prône la folle hardiesse de l'amant naturel qui s'exprime sans détour et refuse le beau langage :

Ains ne vi grant hardement
Furnir sans folie,
Et qi vient couardement
Si pert s'envaïe[36].

*Pour mériter l'amour, l'amant met sa jeunesse au service de sa dame, sa suzeraine, qu'il appelle son seigneur et dont il se dit l'*homme, *le vassal, son devoir fondamental étant de l'aimer. Le service amoureux se calque sur le service féodal*[37]. *La dame* retient *l'amant par l'*hommage *qui comporte trois actes comme dans le rite chevaleresque :* mains jointes, *il se déclare,* com fins amis, *tout entier à la disposition de sa* maîtresse, *à qui il demande, en gage de réciprocité, le* baiser, *que peut accompagner le don de l'anneau; l'amour vrai implique la* foi, *la fidélité et la loyauté de l'un et de l'autre : le cœur du vassal* en li *(elle)* se fie com en son seigneur. *Dès lors, la dame ne peut plus le traiter en ennemi, le mettre à mort par son orgueil ou son dédain, sans le* défier, *sans marquer solennellement qu'elle renonce à la foi jurée. Pour exprimer un attachement absolu, le poète se déclare son homme lige :* je sui vostres ligement *(sans réserve),* Dame de valeur *(Guillaume le Vinier) ; il s'*abandonne *à elle, tout à sa discrétion, ce que traduisent aussi des verbes comme* se rendre, s'otroier, se *(re)*commander. *Il devient le* fief, *la possession de la dame (ou d'Amour), qui exerce sur lui sa seigneurie ; il se met pour toujours* en son

36. Edition Yvan G. Lepage, Ottawa, 1981, p. 36 : « Jamais je n'ai vu manifester sans folie une grande hardiesse, et celui qui avance peureusement perd son attaque. »

37. Joseph Calmette, *La Société féodale,* Colin, 1932 : « Le vassal, à genoux et sans armes, met ses mains jointes dans les mains de son seigneur et se déclare son homme pour tel fief ; le seigneur le relève, le baise sur la bouche ; puis le vassal debout prête sur l'Evangile le serment de foi. » Cf. aussi François L. Ganshof, *Qu'est-ce que la féodalité ?,* Bruxelles, Presses Universitaires, 4e éd., 1968 (1re éd., 1944).

dangier, « *à sa discrétion* ». *Amour prend le cœur de l'amant* en sa saisine[38].

Pour obtenir son guerdon, *sa récompense, comme le vassal obtenait* honor *ou fief, l'amant doit* souffrir, *attendre et patienter :* fins amis, *dit Gace Brulé,* suefre *(souffre)* et atent, *sans jamais le regretter,* sanz repentir. *Il faut* desservir, mériter sa récompense, la comparer *(payer)* chierement, *par de longues souffrances, qui l'ennoblissent et le rendent digne de cet amour :*

Que biaus servirs et soufrance
Fait fin ami avancier
Et s'onor croistre et haucier[39].

Alors peut-être pourra-t-il obtenir la merci *de sa dame, sa pitié, et, au terme de cette longue quête, le* haut don *d'amour*[40].

L'amour exerce sur l'amant une puissance tyrannique, il justise *son cœur, même si le service, qui n'est pas servitude, implique un engagement réciproque. Du regard de la dame dépendent la vie et la joie du poète qui devient son jouet, et dont le service consistera à se montrer loyal et courtois, à bien chanter, à faire l'éloge de sa suzeraine sans jamais la nommer, à s'illustrer par des prouesses guerrières, à partir pour la croisade.*

Cette sacralisation de la dame devient une véritable religion, un culte d'adoration fondé sur un rituel qui s'accompagne de méditation et de contemplation, de doutes et de ferveurs, de moments d'extase et de déréliction. La dame (ou Amour) prend la place de Dieu : à côté de l'amour divin, de l'amour de l'Absolu, se développe « une surestimation de l'amour humain, un Absolu d'Amour[41] », loi, *religion, dont*

38. Sur ce vocabulaire féodal, voir Roger Dragonetti, *La Technique poétique des trouvères...*

39. Ce sont des vers d'Audefroi le Bastart : « Car un beau service et la souffrance font progresser le vrai ami et accroître et exalter son honneur. »

40. Au même registre féodal appartient le vocabulaire de la promesse et de l'engagement à tenir : *plevir, tenir covant, creanter.*

41. Henri-Irénée Marrou, « Au dossier de l'amour courtois », dans *Revue du Moyen Age latin,* t. III, 1947, pp. 84-85.

l'amant est le fidèle. Il endure ses tourments en silence, meurt à lui-même pour devenir meilleur, dans l'espoir d'une plus haute récompense. Il refuse de gehir, *d'avouer. Sa souffrance est pénitence, sacrifice expiatoire, toujours renouvelé. Il doit prier pour obtenir délivrance ou guérison de sa dame, objet de sa vénération, véritable* reliquaire, *voire* sanctuaire *:*

> Bele dame, droiz cors sainz,
> Je vous enclin jointes mains,
> Au lever et au coucher *(Raoul de Soissons).*

La fine amor, *épurée comme l'or, se transforme en* fine mort *du martyre, en désir de mort :*

> Quant plus i pens, plus m'estuet esbahir,
> Et pluz et pluz me double mon martire *(Gace Brulé).*

La dame du trouvère n'est plus une femme, elle est un nom plutôt qu'un corps, l'énigme, comme Marcel Faure l'a suggéré dans une très belle page[42] *: « Je suis l'épouse du seigneur, la femme interdite. L'obsession du silence qui résiste à tout aveu; le regard souverain et muet, qui fait baisser les yeux tournés vers elle. Je ne demande rien, ne dis rien, n'apporte rien. Je suis pour l'homme l'interrogation permanente, la demande à l'infini, la Beauté, et la beauté n'est que semblance. Jamais on ne verra le secret que je recèle. Je suis le reliquaire sacré, le sanctuaire qui fascine l'homme, mais l'homme s'arrête toujours au seuil, il n'est qu'un profane. Je ne suis pas comme la jeune fille objet à prendre, je ne suis même pas l'objet de la quête, j'en suis le lieu, la chair faite verbe, un mot, une parole, la voie humaine de la connaissance. »*

La dame s'installe dans un ailleurs qui la met hors d'atteinte, princesse lointaine, diaphane, décorporalisée, dénuée de sensualité et de tendresse, annulée dans la statue de la Beauté, qu'on rejoint seulement dans le rêve et dans le poème, « espace sacré, lieu de la contemplation, de la

42. « “ *Aussi com l'unicorne sui* ”, ou le désir d'amour et le désir de mort dans une chanson de Thibaut de Champagne », dans *Poètes du XIIIe siècle, Revue des langues romanes,* t. 88, 1984, pp. 18-19.

célébration et de la connaissance, moment où le poète s'abstrait de la réalité quotidienne[43] » *pour se laisser conduire à la Beauté et à la Connaissance.*

Ce culte de la dame implique l'exclusion de l'autre, l'impératif catégorique du secret[44]*, car il ne faut pas profaner une chose aussi sainte, et les* félons losengiers, *jaloux, médisants, déloyaux et cruels, sont toujours prêts à épier et à dénoncer les amants, les contraignant à vivre dans une continuelle anxiété, cherchant à les séparer : c'est* la fausse gent maleüree *(maudite)* qui a mentir et a deviner Ont mainte amour dessevree *(séparée), et que les poètes traitent de* pute gent haïe, *souhaitant qu'on leur arrache la langue, qu'on leur crève les yeux. Ces* losengiers *représentent l'ordre social, le monde hostile aux amants, et même pour Erich Köhler « les résistances qu'offre le monde extérieur aux aspirations du chevalier pauvre, et en particulier la concurrence que rencontrent, parmi leurs congénères, les jeunes chevaliers », ces* juvenes *chers à Georges Duby*[45]*, qui ne sont pas encore établis, partant dans un état de disponibilité propice à l'action et aux jeux de l'imagination, et qui proposent un nouveau type de relations amoureuses, favorable à la* jovens.

Sans doute ces losengiers *sont-ils aussi les séducteurs qui prennent la place des vrais amants par un langage trompeur, identique dans la forme au discours véridique de l'amour, et que dénonce Jacques de Cisoing*[46]*. Ils « empêchent même la célébration du désir, de la joie, et compromettent ainsi l'exercice même de la poésie*[47] *». Amants d'aventure, d'après Eustache le Peintre, faussaires, ces poètes de la facilité*

43. Marcel Faure, « La Chanson du trouvère », dans *La Quinzaine littéraire,* n° 323, avril 1980, p. 18.

44. L'amant désigne sa dame par une appellation masquée, le *senhal,* un pseudonyme tel que *Bel Désir, Confort, Beau Confort.*

45. « Dans la France du Nord-Ouest, au XIIe siècle : les " jeunes " dans la société aristocratique », dans *Annales,* septembre-octobre 1964, pp. 835-846.

46. *Cil faus amant qui vont par la contree / Qui font semblant et chiere de noient* (sans rien ressentir) / *Et des dames ne quierent fors la bee* (l'attention), / *Font as fins cuers maint grant ennui souvent.*

47. Emmanuèle Baumgartner, « Trouvères et " Losengiers " », dans les *Cahiers de Civilisation médiévale,* t. 25, 1982, p. 174.

chantent de flor et de verdure *sans éprouver les douleurs et les craintes de l'amour ; ils deviennent les rivaux en écriture poétique des trouvères authentiques, qui ne chantent pas à cause de la saison, mais parce que l'amour les inspire, comme l'a écrit Jean de Louvois :*

Chanz ne me vient de verdure,
Ne por iver ne remaint :
Chanter puis je par froidure,
Se la saisons m'i ataint[48].

Au terme d'une longue attente, douloureuse et purificatrice, le trouvère peut espérer la récompense de son service amoureux, le guerdon : *un aveu, un baiser, voire le* surplus *que les poètes évoquent discrètement, le plus souvent à l'optatif ou dans un songe où ils tiendront leur bien-aimée nue dans leurs bras. L'amour courtois n'est pas platonique, il reste associé au désir charnel. Mais peut-être le plus haut* guerdon *en est-il la joie, la jouissance spirituelle de l'union des âmes, plénitude extatique fragile et toujours menacée, allégresse qui exalte l'être au-dessus de lui-même et qui n'empêche pas le bonheur physique — mélange subtil, pour reprendre les termes des troubadours, du* joi, *plus spirituel, plus actif, et du* gauc, *plus physique, plus passif.*

La sacralisation de la Dame, qui empêche la venue de la femme, exige dans le grand chant courtois la beauté de la forme, la noblesse du sens et un vocabulaire abstrait, enfermé dans un jeu constant d'apostrophes et d'antithèses de mots, de vers et de strophes, qui introduisent au cœur des subtilités, des excès et des contradictions de la passion. Il s'ensuit une dépersonnalisation des textes qui ont pu, faute d'aveux individuels, être attribués à différents auteurs dans la tradition manuscrite.

Pour atteindre au style qui convient à la grandeur du sujet, le trouvère recourt aux couleurs *de rhétorique, à toutes sortes de figures : répétitions et anaphores ; interrogations poétiques ; sentences et proverbes ; métaphores empruntées à*

48. « Je ne chante pas à cause de la verdure, pas plus que l'hiver ne me fait taire : je puis chanter par temps froid, si le moment me convient. »

divers registres (féodalité, religion, santé et maladie, lumière, nature extérieure...). Il utilise des comparaisons explicites tirées des légendes antiques (Pâris et Hélène, Didon et Énée, Pyrame et Thisbé) et médiévales (Tristan et Iseut), des bestiaires (la licorne, le rossignol mourant, le phénix, la tigresse aux miroirs), de la chasse, de la bataille et du tournoi, du jeu d'échecs. Il introduit des personnifications et des allégories : Amour, suzerain tyrannique, est un invincible archer qui, frappant l'œil de sa flèche, atteint le cœur du poète, et affronte Raison ; dans ce théâtre de l'âme, reparaissent constamment Pitié, Orgueil, Félonie ; le cœur est gardé dans sa captivité par trois geôliers, selon Thibaut de Champagne : Beau Semblant « *abord accueillant* », Beauté *et* Danger « *réserve, résistance*[49] ».

Les trouvères se tiennent à égale distance de la familiarité et de l'hermétisme, sans que leur maîtrise se réduise jamais à une simple habileté technique : il leur faut vivre vraiment la fiction poétique.

*L'éloge de la Dame est à la mesure de cette déification, « description essentiellement morale, pathétique et idéale : l'*irréalisme *en constitue une des caractéristiques marquantes : sa vérité est dans le style, non pas dans l'observation ». Portrait mythique, « d'autant plus vrai qu'il se conforme au symbole*[50] », *constitué d'un ensemble de topiques dont on renouvelle les combinaisons formelles, truffé d'hyperboles laudatives, de comparaisons panégyriques avec le soleil, les fleurs, les pierres précieuses... sans qu'aucun détail réaliste rompe la fiction et le rêve.*

Il ne faut donc pas tenter de déceler dans la poésie médiévale la recherche d'une originalité, d'une spontanéité et d'une singularisation à la romantique, qui traduiraient une vision personnelle du monde et de soi-même à base de confidences et d'allusions individuelles. Il s'agit au contraire d'une poésie du lieu commun et du cliché, qui joue avec des topiques hérités d'une riche tradition et actualisés par des

49. Sur tout cela, on se reportera au grand livre de Roger Dragonetti, *op. cit.*, pp. 246-247.
50. Roger Dragonetti, *op. cit.*, pp. 250-253.

motifs consacrés et des termes obligés. Le trouvère reprend au répertoire lyrique des thèmes convenus, fixés, reconnus, ressassés, contraignants, et des figures de style, dont l'agencement introduit de subtiles variations qui sont sa marque propre.

Ainsi en est-il de la description de la Dame, de l'appel à sa pitié, de la prière d'amour, de la dénonciation des losengiers, *et de toutes les formes de l'exorde : l'amour inspire la chanson, force à l'aveu, ou bien le poète obéit à un ordre, cède à l'incitation du printemps (chant du rossignol et des oiseaux, épanouissement de la rose et des fleurs, verdure des bois et des vergers, réveil et renouvellement de la nature) ; son contraire, le décor hivernal, n'est pas forcément lié à la mélancolie. Ces topiques, les trouvères les renouvellent en les accumulant, en variant le vocabulaire, en essayant de nouvelles combinaisons, sans rechercher l'effet pittoresque ou original*[51].

Pas de pathétique personnel à un poète, pas d'image d'une fulgurante nouveauté : chacun travaille sur des matériaux prédéterminés qu'il donne à reconnaître, dans une sorte de connivence profonde avec ses auditeurs qui détiennent les clés de ce monde poétique et qui participent au même univers mental, capables de ressentir « la charge allusive du chant[52] *». Ils n'ont pas à exprimer des amours réelles, ni des circonstances qui leur soient propres; ils ne chantent pas l'amour qu'ils ont vécu, mais « l'amour idéal qu'ils pourraient vivre et comme ils pourraient le vivre selon les suggestions de la convention courtoise... La fin que se propose la poésie formelle n'est pas d'exprimer quelque chose (un sujet), mais bien de révéler une forme dans son épanouissement (une chanson courtoise, ici)*[53] *».*

La liberté des trouvères est tout aussi limitée dans l'utilisation des matériaux stylistiques : le vocabulaire est constitué de termes clés (joie, amour, douleur, prier, losengiers...) *dont*

51. *Ibid.*, pp. 179-181.
52. *Ibid.*, p. 545.
53. Robert Guiette, *D'une poésie formelle en France au Moyen Age*, Nizet, 1972, pp. 33 et 69.

la valeur incantatoire résulte de leur place, de leur volume, de l'usage qu'on en fait; les rimes, stéréotypées, éveillent la mémoire de toutes les virtualités. « La variation individuelle se situe dans l'agencement d'éléments expressifs hérités plus que dans la signification originale qu'on leur conférerait[54]*. » Plutôt qu'à telle réalisation, on est attaché à des motifs et à des formules : « L'Europe n'a pas connu de poésie plus profondément rhétorique : non seulement dans ses formes verbales et musicales, mais, si paradoxal que cela paraisse, dans son inspiration même*[55]*. » L'on module à l'infini des structures acceptées. Pris dans des ensembles déterminés par le rythme, la mélodie, le jeu des rimes et les types de strophes, les mots, qu'on peut facilement dénombrer, jouissent d'une richesse allusive, de toute une proliférante intertextualité, que la tradition a consacrée et que les poètes utilisent dans des combinaisons nouvelles dont on* reconnaît *chaque élément.*

Robert Guiette l'a répété[56] *: « C'est l'œuvre formelle, elle-même, qui est le sujet. » La poésie médiévale, savante, rigoureuse, calculée, est dans la création des formes, et son attrait naît de l'invention formelle qui organise des thèmes et des mélodies, et qui donne au lieu commun un accent unique, propre à chaque grand poète; de là « la surprise d'un ordre perçu par celui qui n'ignore rien des règles du jeu ». Le trouvère exprime sa liberté dans le choix des jeux et des combinaisons, des genres et des rythmes, des strophes et des mélodies, qui sont variés.*

Cette poésie objectivée, dont le sujet s'est aboli dans le texte — texte clos et prévisible — est une poésie orale, destinée au chant, vraiment lyrique *en ce sens que le vers ne peut se passer du chant : « Une chanson sans musique, disait Folquet de Marseille, est comme un moulin sans eau. » La pensée musicale n'est d'ailleurs pas plus originale que la pensée poétique, même si « la dimension mélodique (et ses conséquences sémico-formelles) est sans doute l'une des plus*

54. Paul Zumthor, « Recherches sur les topiques dans la poésie lyrique des XIIe et XIIIe siècles », dans *Cahiers de Civilisation médiévale,* 1959, p. 409.
55. Denis de Rougemont, *L'Amour et l'Occident,* Plon, 1939, p. 69.
56. *Op. cit.*, pp. 34 et 61.

pertinentes de la lyrique médiévale par rapport aux autres genres littéraires[57] ».

Il reste qu'une chanson d'amour n'est bonne « qu'à condition d'être le fruit d'une convenance intime *entre les dispositions intérieures du poète, qui doit aimer vraiment, sa condition sociale et le genre de rhétorique qu'il cultive » et qu'écrire une chanson, c'est participer « à des symboles dont le pouvoir d'exaltation était soutenu par la foi dans les valeurs chevaleresques*[58] *». Sur ces motifs obligés, chaque poète exécutait sa variation, ajoutait ce rien, formel, d'originalité qui suscitait le plaisir esthétique au prix d'une écoute (ou d'une lecture) attentive, répétée.*

Si le grand chant courtois est l'un des fleurons de la poésie et de la civilisation des XIIe *et* XIIIe *siècles, il n'en est pas l'unique expression. Autour de lui se sont développés d'autres genres que Pierre Bec a classés, de façon heureuse, en deux grands registres*[59].

Le premier, aristocratique, se situe dans la filiation de la poésie occitane. Essentiellement lyrique, indépendant de toute histoire, il est tourné vers la douleur et l'épreuve, il se transforme en plainte solitaire. Il s'exprime dans des genres identifiés et des œuvres signées le plus souvent, qui, formellement, gravitent autour de la chanson d'amour : chanson de croisade[60], *serventois* (sirventès) *plus caustique et critique, plainte* (planh), *jeu-parti* (tenson) *qui explicite en deux voix contradictoires les tensions du chant courtois, chansons pieuses qui appliquent à Dieu ou à la Vierge le langage de la* fine amor. *Le sujet, à l'ordinaire, en est un homme. L'importance de ce registre a été d'emblée reconnue : la tradition textuelle date des* XIIe *et* XIIIe *siècles.*

Le second registre, popularisant, jongleresque et folklorisant, fait une part plus grande à la narration et à la

57. Pierre Bec, *La Lyrique française au Moyen Age (*XIIe*-*XIIIe *siècles). Contribution à une typologie des genres poétiques médiévaux,* Picard, t. I, 1977, p. 19.

58. Roger Dragonetti, *op. cit.*, p. 126.

59. *Op. cit.*

60. Nous donnons une définition de la plupart de ces genres dans les notices qui se trouvent à la fin de ce livre ; à propos du serventois, on se reportera à la notice relative à Richard Cœur-de-Lion.

chorégraphie. Il chante souvent une nature en fête, un monde simple, sans contrainte, volontiers immoral, et, sauf dans la chanson de toile, la joie d'amour, reprise de l'amour de mai, où les femmes exprimaient la puissance du désir. Les genres relevant de ce registre utilisent refrains et onomatopées. Ils sont plus strictement français, souvent mal identifiés et anonymes, au point que la tradition textuelle n'en émerge qu'au XIIIe siècle. Il s'agit de l'aube, de la chanson d'ami, de la chanson de mal-mariée, de la chanson de toile et de la reverdie, ainsi que de genres lyrico-musicaux (rotrouenge, lai, motet) et lyrico-chorégraphiques, rondet de carole, ballette, estampie, vadurie..., qui sont des chansons à danser. Ils s'organisent fréquemment autour d'une femme et de personnages typisés (chevalier, bergers et bergères, guetteur, mari jaloux) et évoluent vers le théâtre : de la pastourelle est sorti, par exemple, Le Jeu de Robin et Marion *d'Adam de la Halle.*

Ce registre a pu dériver vers la poésie anti-lyrique, quand prédominent le burlesque, l'obscène — comme dans la sotte chanson — ou le non-sens (rêverie, fatrasie). Mais, avec ce dernier genre, nous touchons à des œuvres savantes dues à des poètes très habiles.

Nous avons vu plus haut que les cours et les châteaux favorisaient la rencontre des chevaliers et des jongleurs. Certains de ceux-ci devenaient les ménestrels d'un prince ou d'un seigneur. Ainsi Jouglet, dans le roman de Jean Renart, Guillaume de Dole[61]*, est-il le valet de chambre de l'empereur Conrad qui le charge de diverses commissions et lui donne volontiers des cadeaux. Habile dans son métier pour déclamer chansons, contes et fabliaux, pour jouer de la vielle, Jouglet est le compagnon, le confident et le conseiller de son maître ; il se promène amicalement avec lui et contribue même à son mariage. La sécurité et la stabilité de sa situation lui permettent de s'adonner au goût des lettres dans la dignité et l'indépendance*[62].

61. Voir la traduction de ce roman, Champion, 2e éd., 1988 (1e éd. 1979).
62. Mais les jongleurs ordinaires s'emparèrent de ce titre qui devint péjoratif dès le XIIIe siècle et signifia « faux, menteur, joueur, médisant, débauché ».

Quelques réussites marquantes ne doivent pas cependant dissimuler que la vie de la plupart des jongleurs demeurait chétive et incertaine, réduite à attendre d'autrui des moyens de subsistance et tombant souvent dans la mendicité, comme celui du fabliau de Saint Pierre et le jongleur : « *Comme il se faisait tondre au jeu, il allait souvent sans sa vielle, sans chausses même ni cottelle : aussi, lorsque soufflait la bise, il grelottait dans sa chemise. Ne croyez pas que je vous mente ; on le voyait souvent pieds nus ; avait-il parfois des souliers, ils étaient fendus et troués*[63]. »

Les jongleurs étaient des personnages aux talents multiples : musiciens, poètes, acteurs, bateleurs, charlatans, prestidigitateurs et enchanteurs, conteurs et chanteurs, dompteurs et acrobates, bouffons et écuyers ; ils prétendaient, et souvent pouvaient, tout faire. Mais, comme c'étaient des errants et qu'ils se métamorphosaient à leur gré, ils demeuraient des suspects à qui l'on reprochait d'avoir des mœurs irrégulières, de mentir, de boire et de jouer. Le terme de jangleor, *« bavard, menteur » (du francique* jangalon*), a d'ailleurs transformé le* joglerre, jogleeur *médiéval (du latin* joculator*), en notre mot* jongleur. *Ils étaient fréquemment qualifiés de* lecheor, *qui signifie « gourmand », « impudique » et « buveur ». De là des condamnations et des malédictions de la part des autorités religieuses : ils étaient traités de suppôts de Satan et d'ennemis de Dieu qui se vendaient au moindre prix et menaient une vie scandaleuse. Malgré cette opprobre, ils se multiplièrent à la fin du XIIe siècle et au XIIIe : ils apportaient l'imprévu, la fantaisie, la fête ; ils amusaient les gens qui les redoutaient aussi pour leurs facéties méchantes ; ils participaient aux fêtes religieuses et populaires ; ils s'introduisaient dans les cours.*

La condition du jongleur était donc déformante par son instabilité chronique et par son état constant de dépendance pour s'assurer le nécessaire[64]. *Certes, quelques-uns d'entre*

63. Traduction de Gilbert Rouger, *Fabliaux*, Gallimard, Folio, 1978, p. 71.
64. Voir Rutebeuf, *Poèmes de l'infortune et Poèmes de la croisade*, Champion, 1979, pp. 21-25.

eux ont pu connaître une vie assez heureuse, presque bourgeoise. Colin Muset nous a laissé d'amusants croquis de ses hivernages ; mais lui aussi semble avoir souffert de l'avarice de certains maîtres.

Avec des jongleurs comme Colin Muset et Rutebeuf, qui eux aussi travaillent sur un matériel hérité, la structure du poème, moins rigide, le rend perméable à l'influence de la vie. Si la chanson courtoise ressortit au lyrisme allusif, les poèmes de Rutebeuf relèvent du lyrisme plus expressionniste d'un poète aux prises avec le réel et englué dans le monde, qui, amplifiant et particularisant des formules stéréotypées, tend vers la description dont il n'est pas complètement maître : l'univers qu'il nous livre demeure un mélange de fictions morcelées et d'éléments concrets qui frappent par leur éclat réaliste.

Ses Poèmes de l'infortune [65] *s'apparentent aux confessions ironiques et amères des clercs vagants que sont les goliards dont les* Carmina burana *chantent le plaisir, le vin, l'amour, la liberté sans souci du salut éternel. Ils sont proches des réflexions de Colin Muset qui a exploité le registre de la bonne vie et redoute les sarcasmes de sa femme quand il rentre la bourse « farcie de vent » et, plus tard, des facéties et des pleurs, de la misère physique et morale de Villon.*

Ainsi se fait jour une poésie nouvelle, composée non plus pour le chant qui privilégiait la musique, mais pour la récitation qui exigeait plus de précision dans le maniement de la phrase et du vocabulaire. Cette poésie introduit des sentiments et des réflexions réservés jusque-là à la littérature morale et satirique, héritière, pour une part, de la littérature comique, à tort qualifiée de bourgeoise, car elle a souvent été écrite pour un public aristocratique, heureux de s'éloigner de temps à autre des genres nobles et de l'abstraction pour retrouver le quotidien.

Rutebeuf est ainsi le premier poète libéré de l'ancienne tradition lyrique, renonçant aux grâces du monde courtois pour se pencher sur la réalité médiocre des souffrances, des

65. Voir Rutebeuf, *Poèmes de l'infortune et autres poèmes,* Gallimard, Poésie, 1986.

repentirs et des colères de la vie banale, tout en restant un jongleur qui joue et mime sa vie. Il apparaît donc comme l'origine d'une autre poésie qui se développera au long des siècles suivants, à travers la tradition primesautière (Marot, La Fontaine) et pathétique (Villon, Verlaine, Apollinaire) de la plainte réaliste, comme dans le courant puissant des grands satiriques (Du Bellay, Ronsard, d'Aubigné, Hugo). Il se pourrait même qu'une lecture attentive révèle qu'il est proche, par moments, de Baudelaire[66].

Jean Dufournet

66. Cf. notre article, « Avant Baudelaire, Rutebeuf », dans *La Quinzaine littéraire*, n° 323, avril 1980, pp. 18-19.

NOTE LIMINAIRE

Ce recueil regroupe des poèmes lyriques au sens médiéval du terme, c'est-à-dire des poèmes chantés pour la plupart et associés à la musique, écrits dans des registres et genres différents entre 1160 et 1300, constitués de moments émotifs exprimés par un « je » qui est l'auteur et l'acteur — ou qui parle au nom d'autres que lui-même — dans ce qu'on a appelé les genres lyriques « objectifs » ou « narratifs », comme la pastourelle, l'aube, la chanson de toile... Nous y avons introduit les fatrasies de Philippe de Beaumanoir dans la mesure où il s'agit, selon Pierre Bec, du « genre le plus représentatif de la " distanciation " lyrique *(anti-lyrique),* même si, à la limite et comme par éclairs, elle atteint, par la brisure de la cohérence significative, des effets poétiques inattendus et qu'on voudrait croire déjà modernes ».

Nous avons donc écarté de ce volume tout ce qui est poésie épique, romanesque, satirique, didactique, et, par suite, tout ce qui, chez des auteurs comme Chrétien de Troyes et Adam de la Halle, ne ressortit pas à la poésie lyrique.

D'autre part, les lecteurs ne trouveront dans ce livre ni poèmes en langue d'oc, ni poésies en latin médiéval, ni textes des XIVe et XVe siècles : d'autres volumes leur seront consacrés, et une *Anthologie de la poésie lyrique des XIVe et XVe siècles* sera constituée autour des grandes figures d'Eustache Deschamps, de Guillaume de Machaut, d'Alain Chartier, de Christine de Pizan, de Charles d'Orléans, de François Villon et de Georges Chastelain.

Nous présentons les poètes dans un ordre en principe chronologique, mais il faut avouer que nos connaissances demeurent souvent incertaines.

Pour ne pas alourdir ce volume, nous avons dû renoncer à faire une place à des poètes que nous aimons, comme, par exemple, Richard de Semilli, Raoul de Soissons, Jacques de Cisoing, Chardon de Croisilles, Gautier de Dargies, Gautier d'Épinal, Richard de Fournival, Gontier de Soignies... Dans un autre recueil, nous consacrerons une part importante aux *Congés d'Arras* et aux *Vers de la Mort* d'Hélinand de Froidmont.

Quant à la traduction des poèmes qui sont écrits le plus souvent dans la langue littéraire commune mais peuvent comporter des traits dialectaux plus ou moins nombreux, picards, lorrains, champenois, normands..., nous l'avons voulue fidèle et exacte, très sensible aux recommandations de Vladimir Nabokov pour qui il est trois péchés capitaux quand on fait œuvre de traducteur : commettre des erreurs par ignorance, s'estimer supérieur aux auteurs, enjoliver et modifier les œuvres selon son propre goût. Toutefois, nous savons qu'à passer d'une langue à l'autre, le texte poétique perd de sa saveur, comme l'écrivait déjà aux XIIIe siècle Adam de Perseigne à la comtesse de Champagne, Blanche de Navarre, dont il était le directeur de conscience : « Sachez-le, ma fille, toute expression de la pensée, en passant d'une langue à l'autre, risque fort de perdre, dans la langue de sa traduction, son mordant et sa structure. Quand on transvase un liquide, sa couleur ou sa saveur ou son odeur subissent toujours quelque altération. » C'est pour cette raison que nous avons donné, en regard, le texte en ancien français.

Enfin, il nous est agréable de confesser notre dette envers les éditeurs de textes et les critiques qui, par un travail minutieux et souvent ingrat, nous ont permis de mieux connaître et apprécier l'immense trésor de la poésie médiévale.

POÈMES ANONYMES

Aube

GAITE DE LA TOR

GAITA

Gaite de la tor,
Gardez entor
Les murs, se Deus vos voie !
C'or sont a sejor
5 Dame et seignor,
Et larron vont en proie.
Hu et hu et hu et hu !
Je l'ai veü
La jus soz la coudroie.
10 *Hu et hu et hu et hu !*
A bien pres l'ocir[r]oie.

D'un douz lai d'amor
De Blancheflor,
Compains, vos chanteroie,
15 Ne fust la poor
Del traïtor
Cui je redot[t]eroie.
Hu et hu [et hu et hu !
Je l'ai veü

L'AMANT

Guetteur de la tour,
à l'entour
surveillez, et Dieu vous protège !
Car se reposent
dame et seigneur,
et voleurs guettent leur proie.
Hu et hu et hu et hu !
Je l'ai vu
là-bas sous la coudraie.
Hu et hu et hu et hu !
J'aimerais le tuer.

LE GUETTEUR

D'un doux lai d'amour
sur Blanchefleur,
ami, je vous chanterais
si je ne craignais
le traître
qui est si redoutable.
Hu et hu et hu et hu !
Je l'ai vu

20 *La jus soz la coudroie.*
Hu et hu et hu et hu !
A bien pres l'ocir[r]oie.]

Compainz, en error
Sui, k'a cest tor
25 Volontiers dormiroie.
N'aiez pas paor :
Voist a loisor
Qui aler vuet par voie.
Hu et hu et hu et hu !
30 *Or soit teü,*
Compainz, a ceste voie.
Hu et hu ! bien ai seü
Que nous en avrons joie.

Ne sont pas plusor
35 Li robeor,
N'i a c'un que je voie,
Qui gist en la flor
Soz covertor,
Cui nomer n'oseroie.
40 *Hu [et hu et hu et hu !*
Or soit teü,
Compainz, a ceste voie.
Hu et hu ! bien ai seü
Que nous en avrons joie.]

45 Cortois ameor,
Qui a sejor
Gisez en chambre coie,
N'aiez pas freor,
Que tresq'a jor
50 Poëz demener joie.
Hu [et hu et hu et hu !
Or soit teü,
Compainz, a ceste voie.
Hu et hu ! bien ai seü
55 *Que nous en avrons joie.]*

là-bas sous la coudraie.
Hu et hu et hu et hu !
J'aimerais le tuer.

Ami, quelle erreur !
Cette fois-ci,
j'aurais plaisir à dormir.
N'ayez pas peur :
qu'il aille à son gré
celui qui veut se promener !
Hu et hu et hu et hu !
Il faut se taire
maintenant, ami.
Hu et hu ! j'étais certain
que nous serions heureux.

Ils ne sont pas nombreux,
les voleurs ;
je n'en vois qu'un seul
couché dans les fleurs,
sous une couverture,
que je n'oserais nommer.
Hu et hu et hu et hu !
Il faut se taire
maintenant, ami.
Hu et hu ! j'étais certain
que nous serions heureux.

Amants courtois
qui vous reposez
en chambre paisible,
ne redoutez rien,
car jusqu'au jour
vous pouvez être heureux.
Hu et hu et hu et hu !
Il faut se taire
maintenant, ami.
Hu et hu ! j'étais certain
que nous serions heureux.

ALBA

Gaite de la tor,
Vez mon retor
De la ou vos ooie.
D'amie et d'amor
60 A cestui tor
Ai ce[u] que plus amoie.
Hu et hu et hu et hu!
Pou ai geü
En la chambre de joie.
65 *Hu et hu! trop m'a neü*
L'aube qui me guerroie.

Se salve l'onor
Au Criator
Estoit, tot tens voudroie
70 Nuit feïst del jor :
Jamais dolor
Ne pesance n'avroie.
Hu et hu et hu et hu!
Bien ai veü
75 *De biauté la monjoie.*
Hu et hu! c'est bien seü,
Gaite, a Dieu tote voie!

L'AMANT

Guetteur de la tour,
je suis de retour
de là où je vous entendais.
De l'amour de ma mie,
cette fois-ci,
j'ai eu tout ce que je voulais.
Hu et hu et hu et hu !
Quel bref séjour
dans la chambre de joie !
Hu et hu ! Quel tort m'a causé
l'aube qui me fait la guerre !

Sauf le respect
qu'au Créateur
je dois, toujours je voudrais
qu'il fît du jour la nuit :
jamais je n'aurais
douleur ni tourment.
Hu et hu et hu et hu !
Je l'ai vue,
la reine de la beauté.
Hu et hu ! j'en suis certain,
guetteur, de l'adieu c'est l'heure !

Chanson d'ami

JHERUSALEM, GRANT DAMAGE ME FAIS

Jherusalem, grant damage me fais,
Qui m'as tolu ce que je plus amoie ;
Sachiez de voir ne vos amerai mais,
Quar c'est la rienz dont j'ai plus male joie,
5 Et bien souvent en sospir et pantais,
Si qu'a bien pou que vers Deu ne m'irais
Qui m'a osté de grant joie ou j'estoie.

Biaus dous amis, com porrois endurer
La grant painne por moi en mer salee,
10 Quant rienz qui soit ne porroit deviser
La grant dolor qui m'est el cuer entree ?
Quant me remembre del douz viaire cler
Que je soloie baisier et acoler,
Grant merveille est que je ne sui dervee.

15 Si m'aït Dex, ne puis pas eschaper ;
Morir m'estuet, teus est ma destinee ;
Si sai de voir que qui muert por amer
Trusques a Deu n'a pas c'une jornee.
Lasse, mieuz vueil en tel jornee entrer,
20 Que je puisse mon douz ami trover,
Que je ne vueill ci remaindre esgaree.

Jérusalem, tu me causes un grand dommage,
toi qui m'as ravi ce que j'aimais le plus.
Sachez en vérité que je ne vous aimerai jamais,
car c'est la chose qui m'apporte la pire joie,
et bien souvent j'en soupire et suffoque,
si bien que je m'irrite presque contre Dieu
qui m'a arrachée à la grande joie où j'étais.

Bien cher ami, comment pourrez-vous endurer
le grand regret de moi sur la mer salée,
puisque rien au monde ne pourrait exprimer
la grande souffrance qui m'est entrée au cœur ?
Quand je me souviens du doux visage clair
que souvent je baisais et caressais,
c'est grande merveille si je ne deviens folle furieuse.

Par Notre Seigneur, je n'y puis échapper ;
il me faut mourir, telle est ma destinée ;
pourtant je sais bien que celui qui meurt par amour
a plus d'une étape à accomplir pour aller à Dieu.
Hélas ! je préfère entreprendre un tel voyage
où je puisse trouver mon doux ami
plutôt que de rester ici, folle de douleur.

Chanson de toile

BELE AIGLENTINE

Bele Aiglentine en roial chamberine
Devant sa dame cousoit une chemise :
Ainc n'en sot mot quant bone amor l'atise.
Or orrez ja
5 *Comment la bele Aiglentine esploita.*

Devant sa dame cousoit et si tailloit ;
Mes ne coust mie si com coudre soloit :
El s'entroublie, si se point en son doit.
(La soe mere mout tost s'en aperçoit).
10 *Or orrez ja*
Comment la bele Aiglentine esploita.

« Bele Aiglentine, deffublez vo sorcot,
Je voil veoir desoz vostre gent cors. »
« Non ferai, dame, la froidure est la morz. »
15 *Or orrez ja*
Comment la bele Aiglentine esploita

« Bele Aiglentine, q'avez a empirier
Que si vos voi palir et engroissier ? »
« Ma douce dame, ne le vos puis noier.
20 *[Or orrez ja*
Comment la bele Aiglentine esploita.]

Dans une chambre somptueuse, Belle Églantine
près de sa dame cousait une chemise.
A son insu Amour l'a surprise.
Ecoutez bien
ce que fit la belle Eglantine.

Près de sa dame, elle coud et taille,
mais moins habile qu'à l'accoutumée,
distraite, elle se pique le doigt.
(Tout aussitôt sa mère l'aperçoit.)
Ecoutez bien
ce que fit la belle Eglantine.

« Belle Eglantine, ôtez votre surcot,
je veux dessous voir votre joli corps.
— Non, Madame, le froid apporte la mort. »
Ecoutez bien
ce que fit la belle Eglantine.

« Belle Eglantine, quel mal donc vous mine,
qui vous fait pâlir et épaissir ?
— Ma chère dame, je ne puis plus le nier. »
Ecoutez bien
ce que fit la belle Eglantine.

« Je ai amé un cortois soudoier,
Le preu Henri, qui tant fet a proisier.
S'onques m'amastes, aiez de moi pitié. »
25 *Or orrez ja*
Comment la bele Aiglentine esploita.

« Bele Aiglentine, vos prendra il Henris ? »
« Ne sai voir, dame, car onques ne li quis. »
« Bele Aiglentine, or vos tornez de ci.
30 *[Or orrez ja*
Comment la bele Aiglentine esploita.]

« Tot ce li dites que ge li mant Henri,
S'il vos prendra ou vos lera einsi. »
« Volontiers, dame », la bele respondi.
35 *Or orrez ja*
Comment la bele Aiglentine esploita.

Bele Aiglentine s'est tornee de ci
Et est venue droit a l'ostel Henri.
Li quens Henris se gisoit en son lit.
40 (Or orrez ja que la bele li dit)
Or orrez ja
Comment la bele Aiglentine esploita.

« Sire Henri, velliez vos ou dormez ?
Ja vos requiert Aiglentine au vis cler,
45 Se la prendrez a moullier et a per. »
(« Oïl » dit Henris, « onc joie n'oi mes tel. »)
Or orrez ja
Comment la bele Aiglentine esploita.

Oit le Henris, molt joianz en devint :
50 (Il fet monter chevaliers trusqu'a vint ;)
Si enporta la bele en son païs
Et l'espousa, riche contesse en fist.
Grant joie a
Li quens Henris quant bele Aiglentine a.

« Oui, j'ai aimé un séduisant guerrier,
le preux Henri qui est tant estimé.
Si vous m'aimez, de moi ayez pitié. »
Ecoutez bien
ce que fit la belle Eglantine.

« Belle Eglantine, vous épousera-t-il ?
— Je ne le sais, jamais ne l'ai requis.
— Belle Eglantine, allez-vous-en d'ici. »
Ecoutez bien
ce que fit la belle Eglantine.

« De ma part demandez à Henri
s'il veut vous prendre ou vous laisser ainsi.
— Bien volontiers, Madame », a-t-elle dit.
Ecoutez bien
ce que fit la belle Eglantine.

Belle Eglantine a quitté son logis,
tout droit est venue à l'hôtel d'Henri.
Le comte Henri était couché au lit.
Ecoutez bien ce que la belle a dit.
Ecoutez bien
ce que fit la belle Eglantine.

« Seigneur Henri, dormez-vous ? Veillez-vous ?
Eglantine au clair visage vous demande
si vous voulez la prendre pour épouse.
— Oui, répond-il. Quelle joie d'être à vous ! »
Ecoutez bien
ce que fit la belle Eglantine.

En l'entendant, Henri fut très joyeux.
Il fit monter jusqu'à vingt chevaliers,
en son pays il emmena la belle
dont il fit sa femme et puissante comtesse.
Qu'il est heureux
le comte Henri d'avoir belle Eglantine !

Rondets de carole

MAIN SE LEVA BELE AELIZ

Main se leva bele Aeliz.
Dormez, jalous, ge vos en pri!
Biau se para, miex se vesti
Desoz le raim.
5 *Mignotement la voi venir*
Cele que j'aim.

Main se leva bele Aeliz;
Mignotement la voi venir.
Bien se para, miex se vesti
10 En mai.
Dormez, jalous, et ge m'envoiserai.

Main se levoit Aeliz,
J'ai non Emmelot!
Biau se para et vesti
15 Soz la roche Guion.
Cui lairai ge mes amors
Amie, s'a vos non?

Main se leva la bien fete Aeliz;
Par ci passe li bruns, li biaus Robins,
20 Biau se para et plus biau se vesti.
Marchiez la foille et ge qieudrai la flor;

LA BELLE AÉLIS

Au matin se leva belle Aélis.
Dormez, jaloux, je vous en prie !
Bien se para, mieux encor se vêtit
sous la ramure.
Toute gracieuse je vois venir
celle que j'aime.

Au matin se leva belle Aélis,
toute gracieuse la vois venir.
Bien se para, mieux encor se vêtit
en mai.
Dormez, jaloux, moi, je m'amuserai.

Au matin se levait Aélis ;
j'ai nom Amelot.
Bien se para et bien se vêtit
sous la Roche-Guyon.
A qui donnerai-je mon amour,
Amie, sinon à vous ?

Au matin se leva belle Aélis,
par là va Robin le brun, le joli.
Bien se para, mieux encor se vêtit.
Foulez la feuille, je cueillerai la fleur,

Par ci passe Robins li amourous,
Encor en est li herbages plus douz.

Aaliz main se leva.
25 *Bon jor ait qui mon cuer a !*
Biau se vesti et para
Desoz l'aunoi.
Bon jor ait qui mon cuer a !
N'est pas o moi.

LA JUS, DESOZ LA RAIME

La jus, desoz la raime,
Einsi doit aler qui aime,
Clere i sourt la fontaine,
Ya !
5 *Einsi doit aler qui bele amie a.*

C'est tot la gieus, el glaioloi,
Tenez moi, dame, tenez moi !
Une fontaine i sordoit.
Aé !
10 *Tenez moi, dame, por les maus d'amer.*

C'est tot la gieus, enmi les prez,
Vos ne sentez mie les maus d'amer !
Dames i vont por caroler,
Remirez voz braz !
15 *Vos ne sentez mie les maus d'amer*
Si com ge faz !

C'est la jus desoz l'olive,
Robins enmaine s'amie.
La fontaine i sort serie
20 Desouz l'olivete.
E non Deu ! Robins enmaine
Bele Mariete.

Par là va Robin le bel amoureux,
et l'herbe en est plus douce devenue.

Aélis à l'aube se leva.
Bonheur à qui a pris mon cœur !
Bien se vêtit, bien se para
à l'ombre des aulnes.
Bonheur à qui a pris mon cœur !
Il est loin de moi.

Là-bas, sous la ramure,
— *ainsi doit aller qui aime* —
claire jaillit la source,
ya !
Ainsi doit aller qui belle amie a.

Tout là-bas, parmi les glaïeuls,
— *gardez-moi, dame, gardez-moi* —
une source y jaillissait,
Aé !
Gardez-moi, dame, je souffre d'amour.

Tout là-bas, au milieu des prés,
— *vous ne ressentez pas les maux d'amour* —
les dames y vont pour danser,
surveillez vos bras !
Vous ne ressentez pas les maux d'amour
comme je le fais !

C'est là-bas sous l'olivier
que Robin conduit sa mie.
L'eau de la source y sourd pure
sous l'olivette.
Ah, mon Dieu ! Robin conduit
belle Mariette.

C'est la jus en la praele,
Or ai bone amor novele !
25 Dras i gaoit Perronele.
Bien doi joie avoir :
Or ai bon' amor novele
A mon voloir.

La jus desouz l'olive,
30 *Ne vos repentez mie,*
Fontaine i sourt serie :
Puceles, carolez !
Ne vos repentez mie
De loiaument amer.

35 Tout la gieus, sor rive mer,
Conpaignon, or dou chanter !
Dames i ont bauz levez,
Mout ai le cuer gai.
Conpaignon, or dou chanter
40 *En l'onor de mai !*

C'est la gieus, en mi les prez,
J'ai amors a ma volenté,
Dames i ont bauz levez,
Gari m'ont mi oel.
45 *J'ai amors a ma volenté*
Teles com ge voel.

Là-bas, sur l'herbe du pré,
j'ai trouvé amour nouvelle !
Son linge y trempait Pernelle.
Que je suis joyeux !
J'ai trouvé amour nouvelle
selon mon cœur.

Là-bas, sous l'olivier,
n'ayez pas de regrets,
jaillit fontaine claire :
jeunes filles, dansez !
N'ayez pas de regrets
si l'amour est sincère.

Tout là-bas, sur le rivage,
compagnons, il faut chanter !
Les dames ont ouvert le bal,
que j'ai le cœur gai !
Compagnons, il faut chanter
en l'honneur de mai !

Là-bas, là-bas dans les prés,
— l'amour comble mon cœur —
les dames ont ouvert le bal,
mes yeux m'ont sauvé.
L'amour comble mon cœur
selon mes désirs.

Motet

HÉ DIEU ! JE N'AI PAS MARI

Hé Dieu ! je n'ai pas mari
        Du tot a mon gré :
Il n'a cortoisie en li
        Ne joliveté !
5 Jone dame est bien traïe,
Par la foi que doi a Dé,
Qui a vilain est baillie
Pour faire sa volenté ;
Ce fu trop mal devisé.
10 De mari sui mal païe :
D'ami m'en amenderai,
Et si m'en savoit mal gré
Mon mari, si face amie,
Car, voelle ou non, j'amerai !

MOTET DE LA MALMARIÉE

Hé ! Dieu, je n'ai pas mari
qui soit à mon gré :
il n'est en lui courtoisie
ni gaieté !
Jeune femme est bien trahie,
par la foi qu'à Dieu je dois,
quand elle est à vilain livrée
pour faire ses volontés :
ce fut bien mal décidé.
De mari suis mal lotie,
avec ami me rattraperai.
Mon mari ne m'en savait
aucun gré, qu'il prenne une amie,
car, qu'il le veuille ou non, j'aimerai !

ESTOILETE, JE TE VOI

OR SE CANTE

Estoilete, je te voi,
Que la lune trait a soi.
Nicolete est aveuc toi,
M'amïete o le blont poil.
5 Je quid Dix le veut avoir
Por la lu[mier]e de s[oir]
Que par li plus bele soit.
Douce suer, com me plairoit
Se monter pooie droit,
10 Que que fust du recaoir,
Que fuisse lassus o toi !
Ja te baiseroie estroit.
Se j'estoie fix a roi,
S'afferriés vos bien a moi,
15 Suer, douce amie.

LA CHANSON DE L'ÉTOILE

CHANTÉ

Petite étoile, je te vois,
que la lune attire à soi.
Nicolette est avec toi,
ma douce amie aux blonds cheveux.
Je crois que Dieu veut l'avoir avec lui
afin qu'elle rende encore plus belle
la lumière du soir.
Ma douce sœur, comme je serais heureux
si je pouvais monter tout droit,
— peu importe la chute —
et être là-haut à tes côtés :
comme je te couvrirais de baisers !
Si j'étais fils de roi,
vous seriez bien digne de moi,
ma sœur, ma douce amie.

Chanson pieuse

LI DEBONNAIRES DIEX M'A MIS EN SA PRISON

Li debonnaires Diex m'a mis en sa prison
Vous ne savez que me fist
Jhesu Crist li miens amis,
Quant jacobine me fist
5 Par grant amours.
Li debonnaires [Diex m'a mis en sa prison].

Il m'a si navré[e] d'un dart
M[ais que] la plaie n'i pert,
Ja nul jour ne gariré,
10 Se par li non.
Li debonnaires [Diex m'a mis en sa prison].

Diex, son dart qui m'a navr[é]
Com il est douz et souefs,
Nu[it] et jour m'i fait penser
15 Com Diex [est] douz.
Li debonnaires [Diex m'a mis en sa prison].

Quant regart par paradis
Dont [li] rois est mes amis,
De lermes [et] de soupirs
20 Mes cuers font t[ouz].
Li debonnaires [Diex m'a mis en sa prison].

Le Dieu de bonté m'a mis en sa prison.
Vous ne savez pas ce que m'a fait
Jésus-Christ mon ami,
quand il me fit religieuse
par son grand amour.
Le Dieu de bonté m'a mis en sa prison.

Il m'a blessée d'une flèche,
sans qu'en apparaisse la plaie,
jamais je n'en guérirai
si ce n'est par lui.
Le Dieu de bonté m'a mis en sa prison.

Dieu, sa flèche qui m'a blessée,
comme elle est douce et exquise,
nuit et jour elle me fait penser
combien Dieu est doux.
Le Dieu de bonté m'a mis en sa prison.

Quand je regarde vers le paradis
dont le roi est mon ami,
de larmes et de soupirs
mon cœur fond tout entier.
Le Dieu de bonté m'a mis en sa prison.

Se je souvent plouroie
Et trés bien Dieu amoie,
Il me don[roit] sa joie :
25 Autrement non.
Li debonnaires [Diex m'a mis en sa prison].

Quant je pense a Marie
Qui fu [de] nete vie
J'ai une jalousie
30 Que... bon.
Li debonnaires [Diex m'a mis en sa prison].

[Or] prions la pucele
Qui fu sainte [et] honneste
Qu'en paradis nous [mete] ;
35 C'est mout biau don.
Li debonnaires [Diex m'a mis en sa prison].

Si je pleurais souvent
et aimais Dieu vraiment,
il me donnerait sa joie,
mais non d'autre manière.
Le Dieu de bonté m'a mis en sa prison.

Quand je pense à Marie
qui ne fut que pureté,
j'éprouve de la jalousie.
. . . .
Le Dieu de bonté m'a mis en sa prison.

Prions donc la Vierge,
qui fut sainte et honnête,
qu'elle nous mette au paradis :
quel don magnifique !
Le Dieu de bonté m'a mis en sa prison.

Chanson pieuse en forme de ballette

AMIS, AMIS, TROP ME LAISSIEZ EN ESTRANGE PAÏS

Amis, amis,
trop me laissiez en estrange païs.

L'ame qui quiert Dieu de [toute s'ent]ente
Souvent se plaint [et] forment se demente,
5 Et [so]n ami, cui venue est trop len[te]
Va regretant, que ne li atalente.
Amis, amis,
[Trop me laissiez en estrange païs.]

Trop me laissiez [ci] vous longue[m]ent querre
10 En cel regnes et en [m]er et en terre,
[E]nclose sui en cest cors qui me serre
[D]e ceste char qui souvent me fait guerre.
Amis, amis,
[Trop me laissiez en estrange païs.]

15 Diex, donnez moi ce que mes cuers desirre,
[P]our cui languis, pour cui sui a martire·;
[J]hesu Christ est mes amis et mon sire,
[L]i biaus, li bons, plus que nul ne scet dire.
Amis, amis,
20 *[Trop me laissiez en estrange païs.]...*

Ami, Ami,
vous me laissez trop longtemps en terre étrangère.

L'âme qui cherche Dieu de toutes ses forces
se plaint souvent et se lamente fort
et regrette son ami qui tarde trop à venir
et à réaliser ses désirs.
Ami, ami,
vous me laissez trop longtemps en terre étrangère.

Vous me laissez trop longtemps vous chercher
en ce monde et sur mer et sur terre,
je suis prisonnière, en ce corps qui m'enserre,
de cette chair qui souvent me fait la guerre.
Ami, ami,
vous me laissez trop longtemps en terre étrangère.

Dieu, donnez-moi ce que mon cœur désire,
ce qui me fait languir et me met au martyre ;
Jésus-Christ est mon maître et mon ami,
le beau, le bon Jésus, plus qu'on ne peut le dire.
Ami, ami,
vous me laissez trop longtemps en terre étrangère.

Il m'apela ains que je l'apelasse,
[S]i me requist ains qu'aprez lui alasse ;
[O]r est bien droiz qu'en lui querre me lasse,
[E]t que cest mont pour lui trouver trespasse.
25 *Amis, amis,*
[Trop me laissiez en estrange païs.]....

Il m'a appelée avant que je ne l'appelle
et priée avant que je ne le suive ;
il est bien juste qu'à le chercher je me lasse
et que pour le retrouver je quitte ce monde.
Ami, ami,
vous me laissez trop longtemps en terre étrangère.

Ballette

JE SUIS LI POVRES GATERÉS

Il a tel en cest païs qui a belle mie,
Mais je n'en puis point avoir, dont je ne ri mie.
Et si pert de can que g'i met :
Je suis li povres Gaterés.

5 Je l'amasse volentiers ; s'elle moi doignest amer,
Je fusse ses escuiers. Por faire sa volentet
Donasse li mon anelet :
Je suis li povres Gaterés.

Ancor li voil je prieir qu'elle soit m'amie :
10 Elle ne vaurroit ja pix de ma compaignie,
Et j'an serai plus joliés :
Je suis li povres Gaterés.

Douce dame a qui je suis, por Deu je vos prie
Que de moi aiez merci, belle, douce amie,
15 Car mon gueredon sor vos met :
Je suis li povres Gaterés.

LA CHANSON DU MAL-AIMÉ

Certains en ce pays ont une belle amie,
mais je ne puis pas en avoir, et je suis triste,
    je perds tout ce que j'y mets :
    je suis le pauvre Gateret.

Je l'aimerais volontiers : si elle daignait m'aimer,
je serais son écuyer. Pour lui faire plaisir,
    je lui donnerais mon anneau :
    je suis le pauvre Gateret.

Je veux la prier encore d'être mon amie :
elle ne s'abaisserait pas en ma compagnie,
    et j'en serais plus gai :
    je suis le pauvre Gateret.

Douce dame à qui je suis, par Dieu je vous prie
d'avoir pitié de moi, belle et douce amie,
    car de vous j'attends récompense :
    je suis le pauvre Gateret.

A DEFINEMENT D'ESTEIT

A definement d'esteit
Lairai ma jolieteit,
Yvers vient tout apresteis,
  Froidure repaire ;
5 J'ai trop esteit an folie,
  Si m'an voil retraire.

Retraire ne m'an puis mais,
Car je sui dou tout a bais ;
Jeu des deis m'ont mis à baix
10 Par ma ribaudie ;
Or ai perdut tous mes drais
  For ke ma chemixe.

Ma chemixe voirement,
S'i ait povre garnement,
15 S'or vaxist ne tant ne cant,
  A geu l'euxe mize,
S'alaixe legierement
  [en]contre la bixe.

La bixe et li autre vans
20 M'i guerroie mout sovent ;
  Par darrier et par devant

Puisque c'est la fin de l'été,
je laisserai le plaisir,
voici l'hiver prêt à paraître,
    et le froid revient ;
j'ai trop fait de folies,
    je veux y renoncer.

Y renoncer, je ne le peux,
car j'ai touché le fond ;
le jeu de dés m'a ruiné
    par trop de débauche ;
j'ai perdu tous mes habits
    hormis ma chemise.

Ma chemise, oui vraiment,
c'est un pauvre vêtement.
Si elle avait valu tant soit peu,
    je l'aurais mise en jeu,
et je me sentirais léger
    à travers la bise.

La bise et les autres vents
me font la guerre bien souvent ;
    par-derrière et par-devant

Me peirt la chair nue ;
Or m'i soit Deus en aidant,
    Ma joie ai perdue.

25 Ma joie et tous mes amins
Ai je perdut, las, chaitis !
Or n'iroie an mon païs,
    Por perdre la vie,
Tant con je serai soupris
30   De la ribaudie.

Ribaudie m'ait costeit
Et geteit de mon osteil,
Les femes m'ont asoteit
    Ou je me fioie ;
35 Cent livres m'ont bien costeit
    De bone monoie.

Chascun jour me covanroit
Plain un sestier de deniers ;
Se j'eüxe menoie[r]
40   Ke forgest monoie,
Il n'an savroit tant forgier
    Con j'an despandroie.

J'ai plus despandut d'avoir
An folie c'an savoir ;
45 Ceu que me deüst valoir
    Et mettre en chivance,
Ceu ai mis en nonchaloir,
    Teille est ma jugance.

apparaît ma chair nue.
Que Dieu me vienne en aide !
 j'ai perdu ma gaieté.

Ma gaieté et tous mes amis,
je les ai perdus, quel malheur !
Je n'irais pas en mon pays,
 même s'il faut en mourir,
tant que je serai prisonnier
 de la débauche.

La débauche m'a suivi
et chassé de ma maison ;
les femmes à qui je me fiais
 m'ont rendu fou ;
elles m'ont bien coûté cent livres
 de bonne monnaie.

Chaque jour il me faudrait
un plein setier de deniers ;
si j'avais monnayeur
 pour forger monnaie,
il ne saurait en forger autant
 que j'en dépenserais.

J'ai dépensé plus d'argent
en folie qu'en sagesse.
Ce qui aurait pu me grandir
 et me profiter,
je n'en ai pas tenu compte :
 tel est mon jugement.

POVRE VEILLECE M'ASAUT

Povre veillece m'asaut,
Si me destroint fortune,
Mes cuers cui proece faut
Descroit come la lune ;
5 Se j'ai fait bonté, que vaut ?
Je n'en truis ja neis une.
Nul de ma vie ne chaut
Qui est obscure et brune.
Douz Dex, mon grant pechié
10 Dont je me sai chargié
Lave de ta grant pitié
Qui est a touz comune,

Jhesu Criz ploins de vertuz,
Poissanz, soffranz et fors,
15 Soiés moi verais escuz
Contre les granz efforz
Des assauz que m'ont renduz
Deables et la mors ;
De legier serai vaincuz,
20 Que miens en est li tors ;
Se je sui au desoz,
N'est pas diz li maux moz
Reçoi moi, sires de touz,
Tu sous es mes conforz.

LES PLAINTES D'UN VIEILLARD

La misérable vieillesse m'attaque,
    et m'étreint la malchance,
mon cœur que prouesse abandonne
    diminue comme la lune ;
mes bonnes actions, à quoi bon ?
    je n'en trouve plus aucune.
Personne ne se soucie de ma vie
    qui est obscure et sombre.
Doux Dieu, le grand péché
    dont je me sais chargé,
lave-le par ta grande pitié
    qui à tous est commune.

Jésus-Christ, plein de vertus,
    puissant, patient et fort,
soyez pour moi un vrai bouclier
    contre les assauts
violents que m'ont livrés
    le diable et la mort ;
je serai facilement vaincu
    car c'est mon tour ;
    si j'ai le dessous,
    je n'ai pas dit la maudite parole :
reçois-moi, souverain seigneur,
    tu es mon seul réconfort.

25 Dex, qui sez ma conscience
Et de diz et de faiz,
Bien conois que des m'enfance
Me sui vers toi meffaiz;
Se ne fust ta granz soffrance,
30 De moi fust rouz li plaiz;
Done moi tel repentance
Que soie a toi atraiz;
Trestorne la folour,
Mon cuer le traïtour,
35 Que je sopir et je plour,
Face vers toi sa pais.

Dieu, toi qui me connais
dans mes propos et mes actes,
j'avoue que, dès mon enfance,
j'ai été envers toi coupable ;
sans ta longue patience,
notre alliance serait rompue ;
donne-moi tel repentir
que je me tourne vers toi ;
transforme la folie
de mon traître de cœur,
que, par mes soupirs et mes pleurs,
il fasse avec toi la paix.

LES GRANDS POÈTES

Chrétien de Troyes

D'AMORS, QUI M'A TOLU A MOI

D'Amors, qui m'a tolu a moi
N'a soi ne me viaut retenir,
Me plaing einsi qu'adés otroi
Que de moi face son pleisir;
5 Et si ne me repuis tenir
Que ne m'an plaingne, et di por quoi :
Car çaus qui la träissent voi
Sovant a lor joie venir,
Et j'i fail par ma bone foi.

10 S'Amors por essaucier sa loi
Viaut ses anemis convertir,
De sans li vient, si con je croi,
Qu'as suens ne puet ele faillir;
Et je, qui ne me puis partir
15 De celi, vers cui me soploi,
Mon cuer, qui suens est, li anvoi;
Mes de neant la cuit servir
Se ce li rant que je li doi.

Dame, de ce que vostre hon sui,
20 Dites moi, se gré m'an savez?
Nenil, se j'onques vos conui,

D'Amour qui m'a ravi à moi-même
sans vouloir me garder pour lui,
je me plains tout en lui accordant
de faire de moi son plaisir.
Pourtant, je ne puis m'empêcher
de m'en plaindre, et voici pourquoi :
ceux qui le trahissent, je les vois
souvent atteindre le bonheur,
et moi j'y échoue par ma bonne foi.

Si Amour, pour glorifier sa loi,
veut convertir ses ennemis,
il a raison, à ce que je crois,
car il ne peut faillir aux siens ;
et moi qui ne peux me séparer
de celle devant qui je m'incline,
je lui envoie mon cœur qui lui appartient ;
mais je crois la servir bien peu
en lui rendant ce que je lui dois.

Dame, de ce que je suis votre vassal,
dites-moi si vous m'en savez gré.
Non, pour autant que je vous aie bien connue,

Ainz vos poise, quant vos m'avez.
Et puis que vos ne me volez,
Donc sui je vostre par enui ;
25 Mes se ja devez de nului
Merci avoir, si me sofrez,
Car je ne puis servir autrui.

Onques del bevraje ne bui,
Don Tristans fu anpoisonez,
30 Mes plus me fet amer que lui
Fins cuers et bone volantez.
Bien an doit estre miens li grez,
Qu'ains de rien esforciez n'an fui,
Fors de tant, que mes iauz an crui,
35 Par cui sui an la voie antrez,
Don ja n'istrai, n'ains n'i recrui.

Cuers, se ma dame ne t'a chier,
Ja mar por ce t'an partiras ;
Toz jorz soies an son dangier,
40 Puis qu'anpris et comancié l'as.
Ja, mon los, planté n'ameras,
Ne por chier tans ne t'esmaiier.
Biens adoucist par delaiier,
Et quant plus desirré l'avras,
45 Tant iert plus douz a l'essaiier.

Merci trovasse, au mien cuidier,
S'ele fust an tot le conpas
Del monde, la ou je la quier.
Mes je croi qu'ele n'i est pas.
50 Onques ne fin, onques ne las
De ma douce dame proiier.
Pri et repri sanz esploitier,
Come cil qui ne set a gas
Amors servir ne losangier.

mais il vous déplaît de m'avoir à votre service.
Du moment que vous ne m'acceptez pas,
je vous appartiens dès lors malgré vous ;
mais si jamais de quelqu'un vous devez
avoir pitié, souffrez ma présence,
car je ne puis servir une autre personne.

Jamais je n'ai bu du philtre
dont Tristan fut empoisonné,
mais je suis rempli d'un plus grand amour
par un cœur loyal et une ardente volonté.
Je dois consentir à cet amour de mon plein gré
car je n'ai subi aucune contrainte :
je n'ai fait que suivre mes yeux
qui m'ont engagé dans une voie
dont jamais je ne sortirai ni ne suis jamais sorti.

Cœur, si ma dame ne t'aime pas,
pour autant ne t'en sépare jamais :
demeure toujours en son pouvoir
puisque tu l'as commencé et entrepris.
Jamais, si tu m'en crois, tu n'aimeras davantage.
Mais que les difficultés ne te découragent pas !
Le bien s'apprivoise avec le temps,
et plus tu l'auras désiré,
plus tu auras de plaisir à le goûter.

J'aurais obtenu sa pitié, je pense,
si elle avait été à la mesure
du monde quand je l'invoque ;
mais je crois qu'elle y est étrangère.
Jamais je ne cesse, jamais je ne laisse
de prier ma douce Dame
que je prie et supplie sans succès
en homme qui ne sait plaisanter
quand il faut servir et louer Amour.

Guiot de Provins

MOLT AVRAI LONC TANS DEMORÉ

Molt avrai lonc tans demoré
Fors de ma douce contree
Et maint grant enui enduré
En terre malëuree.
5 Por ceu, n'ai je pas oblïé
Lo douz mal que si m'agree,
Don ja ne quier avoir santé
Tant ai la dolor amee.

Lonc tens ai en dolor esté
10 Et mainte larme ploree :
Li plus bels jors qui est d'esté
Me semble nois et jalee
Quant el païs que je plus hé
M'estuet faire demoree :
15 N'avrai mais joie en mon aé
S'en France ne m'est donee.

Si me doint Deus joie et santé,
La plus bele qui soit nee
Me conforte de sa biauté.
20 S'amors m'est el cuer entrée ;
Et se je muir en cest pansé

J'aurai longtemps demeuré
loin de ma douce patrie
et maint tourment enduré
en une terre maudite,
sans pour autant oublier
le doux mal qui me plaît si fort
que je ne cherche pas la santé,
tant ma douleur m'est chère.

Longtemps j'ai vécu dans la douleur
et mainte larme versé :
le plus beau jour de l'été
me semble neige et gelée
puisqu'il me faut demeurer
dans le pays que j'exècre.
Je n'aurai plus de joie en ma vie,
si elle ne m'est donnée en France.

Que Dieu me donne joie et santé !
La plus belle des créatures
me réconforte de sa beauté.
Son amour m'est au cœur entré,
et si je meurs en cette pensée,

Bien cuit m'erme avoir salvée.
Car m'ëust or son leu presté
Deus ! cil qui l'a esposee.

25 Douce dame, ne m'oblïez
Ne soiez cruëls ne fiere
Vers moi, qui plus vos aim k'asez
De bone amor droituriere.
Et se vos ensi m'ocïez,
30 Las ! trop l'acheterai chiere
L'amour don si me sui grevez,
Mais or m'est bone et entiere.

Hé, las ! con sui desëurez
Se cele n'ot ma proiiere
35 A cui je me sui si donez
Que ne m'en puis traire arriere.
Trop longuement me sui celez :
Ceu font la genz malparliere
Don ja nus ne sera lassez
40 De dire mal par darriere.

je crois que mon âme sera sauvée.
Plût à Dieu que j'eusse remplacé
celui qui l'a épousée !

Douce Dame, ne m'oubliez pas,
ne soyez pas cruelle ni dure
envers moi qui vous adore
d'un profond et loyal amour.
Et si ainsi vous me tuez,
hélas ! je payerai trop cher
l'amour dont je suis affligé,
mais pour l'heure il est entier.

Hélas ! que je suis infortuné
si ma prière n'est écoutée
de celle à qui je me suis donné
sans pouvoir m'en délivrer !
Trop longtemps je me suis tu
par crainte des médisants
dont aucun ne se lassera
de dire du mal par-derrière.

Robert de Sablé

JA DE CHANTER EN MA VIE

Ja de chanter en ma vie
Ne quier mais avoir corage,
Ainz aing mieuz qu'Amors m'ocie
Por faire son grant domage,
5 Que jamés si faitement
N'iert amee ne servie ;
Por ce chasti toute gent :
Moi a mort et li trahie.

Las ! j'ai dit par ma folie,
10 Ce sai de voir, grant outrage,
Mais a mon cuer prist envie
D'estre legier et volage.
Ha ! dame, tant m'en repent,
Mais cil a tart merci crie
15 Qui atent tant que il pent ;
Por ce ai mort desservie.

D'Amours me covient retraire
Por sa fause contenance ;
Poise m'en, n'en puis el faire,
20 Qu'a son tort me desavance.
Mais tex est sa volentez
Que cil qui plus li doit plaire

Jamais plus de toute ma vie
je n'aurai le cœur à chanter ;
je préfère qu'Amour me tue
et parachève ses ravages ;
car femme ne sera jamais
plus délicatement aimée.
Je l'affirme à tout le monde :
elle m'a tué en trompant Amour.

Hélas ! voici qu'en ma folie
j'ai cédé à la démesure ;
c'est qu'en mon cœur est née l'envie
d'être volage et trompeur.
Ah ! Madame, je m'en repens.
Mais c'est crier trop tard merci
que d'attendre le jugement :
j'ai bien mérité la mort.

Il faut me séparer d'Amour :
elle s'est mal conduite envers moi.
Je le regrette, je ne puis faire autrement,
car elle se fait du tort en me nuisant.
Mais telle est sa volonté
que celui qui devrait lui plaire le plus

En est touz tens plus grevez,
Por c'est tricheresse vaire.

25 Merci covient qui soit maire
Que Jostice ne Clamance ;
D'amer ne poi mie traire
Ne ne sai dont j'oi pensance.
Mout ai folement parlé
30 Et Dex m'en devroit contraire
Comme fol desesperé,
Qu'en li n'ot ainz que refaire.

Toz tens l'avrai escondite,
Mais or i voi qui m'esmaie,
35 Quant cil qui plus est suen quite
Tolt touz ses biens et delaie,
Por ce ne s'i doit fier.
D'endroit moi soit el maudite :
La joie qui vient d'amer,
40 Que j'oi grant, or l'ai petite.

A grant tort l'avrai sordite,
Dou monde la plus veraie ;
Por ce me tieng a traïte
Et m'en met en sa menaie,
45 Qu'encore m'en puet grever ;
Et Dex l'en rende merite,
S'el me voloit pardoner
La mençonge que j'ai dite.

Cuens, Narcisus vuil mander
50 Qu'il port ma chançon escrite
Dedanz son cuer outre mer
Par mi la terre d'Egypte.

Renaut, qui Amor avite
Puisse Dex grant mal doner !
55 Por li m'en vois en Egypte.

en est toujours le plus maltraité :
c'est vraiment une femme perfide.

Il faut que Pitié soit plus forte
que Justice et Procès.
Je ne puis m'empêcher d'aimer,
et je ne sais d'où m'en vint la pensée.
J'ai bien follement parlé
et Dieu devrait m'en punir,
comme le fou désespéré que je suis,
car en elle il n'y avait rien à reprendre.

Je l'ai toujours excusée,
mais maintenant je vois qui me tourmente,
puisqu'à celui qui lui appartient tout entier
elle ôte ou ajourne tous ses biens.
Aussi ne doit-on pas s'y fier.
Pour ma part, je la maudis :
la joie qui vient d'aimer,
si elle fut grande, la voici menue.

C'est à grand tort que je l'aurai calomniée,
elle, la plus loyale de toutes.
C'est pourquoi je m'accuse de trahison
et je me remets entre ses mains,
car elle peut me maltraiter davantage.
Que Dieu l'en récompense,
si elle voulait me pardonner
le mensonge que j'ai proféré !

Comte, je veux charger Narcisse
de porter outre-mer,
à travers la terre d'Egypte,
ma chanson écrite en son cœur.

Renaud, puisse Dieu frapper
de grands maux quiconque fuit l'amour !
Pour lui je m'en vais en Egypte.

Richard Cœur-de-Lion

JA NUS HONS PRIS NE DIRA SA RAISON

Ja nus hons pris ne dira sa raison
Adroitement, s'ensi com dolans non,
Mais par confort puet il faire chançon.
Mout ai d'amis, mais povre sont li don.
5 Honte en avront, se por ma rëançon
Sui ces deus yvers *pris*.

Ce sevent bien mi honme et mi baron,
Englois, Normant, Poitevin et Gascon,
Que je n'avoie si povre conpaignon,
10 Cui je laissasse por avoir en prixon.
Je nel di pas por nule retraçon,
Mais encor sui ge *pris*.

Or sai je bien de voir certainement
Que mors ne pris n'a ami ne parent,
15 Quant hon me lait por or ne por argent.
Moult m'est de moi, mes plus m'est de ma gent,
Qu'aprés ma mort avront reprochier grant,
Se longuement sui *pris*.

N'est pas merveille, se j'ai le cuer dolent,
20 Quant mes sires tient ma terre en torment.

...LA COMPLAINTE DU PRISONNIER

Jamais prisonnier n'exprimera sa pensée
correctement sans manifester sa tristesse,
mais pour se réconforter il peut faire une chanson.
J'ai beaucoup d'amis, mais petits sont leurs dons.
Ils en auront la honte, si faute de rançon
    je reste deux hivers *prisonnier.*

Ils le savent bien, mes hommes et mes barons,
Anglais, Normands, Poitevins et Gascons :
je n'avais pas si pauvre compagnon
que, faute d'argent, je laissasse en prison.
Je ne le dis pas pour faire des reproches,
    mais je suis encore *prisonnier.*

Maintenant je sais parfaitement
que mort ou prisonnier n'ont ami ni parent,
puisqu'on m'abandonne pour de l'or ou de l'argent.
C'est grave pour moi, mais plus encore pour mes gens,
qui après ma mort seront déshonorés
    si longtemps je reste *prisonnier.*

Il n'est pas étonnant que j'aie le cœur affligé
puisque mon seigneur malmène mes terres.

S'or li menbroit de nostre serement,
Que nos feïsmes andui communaument,
Bien sai de voir que ceans longuement
    Ne seroie pas *pris*.

25 Ce sevent bien Angevin et Torain,
Cil bacheler qui or sont riche et sain,
Qu'encombrez sui loing d'aus en autrui main.
Forment m'amoient, mais or ne m'aimment grain.
De beles armes sont ores vuit li plain,
30   Por tant que je sui *pris*.

Mes compaignons, cui j'amoie et cui j'ain,
Ceus de Cahen et ceus dou Percherain,
Me di, chançon, qu'il ne sont pas certain ;
Qu'onques vers aus nen oi cuer faus ne vain.
35 S'il me guerroient, il font moult que vilain,
    Tant con je serai *pris*.

Contesse suer, vostre pris souverain
Vos saut et gart cil a cui je me clain
    Et par cui je sui *pris*.

40 Je ne di pas de celi de Chartrain,
    La mere Looÿs.

S'il se souvenait de notre serment
que nous fîmes tous deux d'un commun accord,
je suis bien certain qu'ici je ne serais pas
    longtemps *prisonnier.*

Ils le savent, les Angevins et Tourangeaux,
ces jeunes gens maintenant riches et forts :
je suis captif, loin d'eux, aux mains d'autrui.
Ils m'aimaient beaucoup, ils ne m'aiment plus du tout.
Les beaux faits d'armes ont déserté les plaines
    depuis que je suis *prisonnier.*

A mes compagnons que j'aimais et que j'aime,
à ceux de Caen, à ceux du Perche,
dis pour moi, chanson, qu'ils ne sont pas fidèles
et que jamais mon cœur ne fut pour eux faux ni volage.
Ils se conduisent en vilains s'ils me font la guerre
    tant que je suis *prisonnier.*

Comtesse ma sœur, que votre exceptionnel renom
soit sauvegardé par Celui à qui je fais appel
    et pour qui je suis *prisonnier* !

Je ne parle pas de la comtesse de Chartres,
    la mère de Louis.

Huon d'Oisy

MAUGRÉ TOUS SAINZ ET MAUGRÉ DIEU AUSI

Maugré tous sainz et maugré Dieu ausi
Revient Quenes, et mal soit il vegnans !
. . . .
. . . .
5 Honiz soit il et ses preechemans,
Et houniz soit ki de lui ne dit : « Fi » !
Quant Dex verra que ses besoinz ert granz,
Il li faudra, car il li a failli.

Ne chantez mais, Quenes, je vouz en pri,
10 Car voz chançons ne sont mès avenanz.
Or menrez vous honteuse vie ci ;
Ne vousistez por Diu morir joianz.
Or vous conte on avoec les recreanz,
Si remaindroiz avoec vo roi failli.
15 Ja Damediex, qui seur touz est puissanz,
Du roi avant et de vouz n'ait merci !

Mout fut Quenes preus, quant il s'en ala,
De sermouner et de gent preechier,
Et, quant uns seuz en remanoit deça,
20 Il li disoit et honte et reprouvier.

Malgré tous les saints et aussi malgré Dieu
revient Conon : qu'il soit le malvenu !
. . . .
. . . .
Qu'il soit honni, lui et ses prêches,
et soit honni qui de lui ne dit : « Fi ! »
Quand Dieu verra Conon en grand besoin,
Dieu lui faillira, car Conon lui a failli.

Ne chantez plus, Conon, je vous en prie,
car vos chansons ne sont plus de saison.
Ici vous allez mener une vie honteuse,
vous n'avez pas voulu pour Dieu mourir joyeux.
Maintenant on vous compte parmi les lâches,
et vous resterez avec votre roi failli.
Que jamais plus le Seigneur, qui sur tous est puissant,
n'ait pitié du roi ni de vous !

Conon fut très courageux quand il s'en alla,
courageux en sermons et en prêchi-prêcha :
s'il arrivait qu'un seul restât ici,
il l'abreuvait d'affronts et d'outrages.

Or est venuz son lieu reconchïer,
Et est plus orz que quant il s'en ala ;
Bien poet sa croiz garder et estoier,
K'encor l'a il tele k'il l'en porta.

Or le voici qui est revenu souiller son nid,
et il est plus dégoûtant qu'à son départ.
Il peut bien garder sa croix, la mettre en un reliquaire,
car elle est encore telle qu'il l'emporta.

Hugues de Berzé

S'ONQUES NUS HOM POUR DURE DEPARTIE

S'onques nus hom pour dure departie
Doit estre saus, jel serai par raison,
C'onques torte ki pert son compaignon
Ne fu un jor de moi plus esbahie.
5 Chascuns pleure sa terre et son païs,
Quant il se part de ses coreus amis;
Mais il n'est nus congiés, quoi ke nus die,
Si dolerex com d'ami et d'amie.

Li reveoirs m'a mis en la folie
10 Dont m'estoie gardés mainte saison.
D'aler a li or ai quis l'ocoison
Dont je morrai, et, se je vif, ma vie
Vaura bien mort, car chil qui est apris
D'estre envoisiés et chantans et jolis
15 A pis assés, quant sa joie est faillie,
Que s'il morust tot a une foïe.

Mout a croisiés amorous a contendre
D'aler a Dieu ou de remanoir chi,
Car nesuns hom, puis k'Amors l'a saisi,
20 Ne devroit ja tel afaire entreprendre.
On ne puet pas servir a tant signor.
Pruec ke fins cuers ki bee a haute honor
Ne porroit pas remanoir sans mesprendre,
Pour ce, dame, ne me devés reprendre.

Si jamais homme, pour avoir subi une dure séparation,
a mérité d'être sauvé, je le serai à bon droit,
car jamais tourterelle, perdant son compagnon,
ne fut plus affligée que moi.
Chacun pleure sa terre et son pays
quand il se sépare de ses amis de cœur ;
mais il n'est nul congé, quoi que l'on dise,
aussi douloureux que celui de l'ami quittant son amie.

De nous revoir m'a jeté dans la folie
dont je m'étais gardé mainte saison.
En allant vers elle, j'ai recherché
ma mort, et si je continue à vivre, ma vie
vaudra bien la mort, car celui qui a pris l'habitude
d'être gai, chantant et enjoué,
connaît un sort bien pire, sa joie disparue,
que s'il était mort d'un seul coup.

Un croisé qui aime a fort à débattre
s'il doit aller vers Dieu ou rester ici,
car un homme, une fois qu'Amour a pris possession de lui,
ne devrait jamais s'engager en une telle entreprise.
On ne peut servir autant de seigneurs.
Mais, comme un cœur courtois qui aspire à un si grand
ne pourrait rester ici sans commettre une faute, [honneur
Madame, vous ne devez pas me reprendre.

25 Se jou seüsse autretant a l'emprendre
Ke li congiés me tormentast ensi,
Je laississe m'ame en vostre merchi,
S'alasse a Dieu grasses et merchis rendre
De ce que ainc soffristes a nul jor
30 Ke je fuisse baans a vostre amor;
Mais je me tieng a paiet de l'atendre,
Puis que chascuns vos aime ensi sans prendre.

Un confort voi en nostre dessevrance
Que Dieus n'avra en moi que reprochier;
35 Mais, quant pour lui me convient vos laissier,
Je ne sai rien de greignor reprovance;
Car cil que Dieus fait partir et sevrer
De tel amor que n'en puet retorner,
A assés plus et d'ire et de pesance
40 Que n'avroit ja li rois, s'il perdoit France.

Ahi! dame, tot est fors de balance.
Partir m'estuet de vos sans recovrier.
Tant en ai fait que je nel puis laissier;
Et s'il ne fust de remanoir viltance
45 Et reprochiers, j'alaisse demander
A fine Amor congié de demorer;
Mais vos estes de si trés grant vaillance
Que vostre amis ne doit faire faillance.

Mout par est fous ki s'en vait outre mer
50 Et prent congié a sa dame a l'aler;
Mais mandast li de Lombardie en France,
Que li congiés doble la desirance.

Si j'avais su, au moment de me croiser,
que votre congé me torturerait autant,
j'aurais remis mon âme à votre discrétion,
et j'aurais été remercier Dieu
que vous m'ayez permis une fois
d'aspirer à votre amour ;
mais de l'attendre me paraît un salaire suffisant,
puisque chacun vous aime sans rien recevoir.

Voici le réconfort que m'apporte notre séparation :
Dieu n'aura rien à me reprocher ;
mais puisqu'il me faut pour lui vous quitter,
je ne connais rien qui soit plus à critiquer,
car celui que Dieu arrache
à un amour si profond qu'il ne peut l'oublier
éprouve beaucoup plus de douleur et de peine
que n'en aurait le roi s'il perdait la France.

Ah ! Dame, tout débat est vain :
il me faut vous quitter sans recours possible.
Je me suis si avancé que je ne puis reculer ;
et s'il n'y avait à rester vilenie
et opprobre, j'aurais été demander
à Amour le loyal la permission de demeurer ;
mais vous êtes d'une si haute valeur
que votre ami ne doit pas manquer à son devoir.

Il faut être bien fou pour s'en aller outre-mer
et prendre congé de sa dame au moment du départ ;
mieux vaut le lui faire savoir de Lombardie en France,
car le congé double le désir.

Le Vidame de Chartres

QUANT LA SAISONS DOU DOUZ TENS S'ASEÜRE

Quant la saisons dou douz tens s'aseüre,
Que beaux estez se raferme et esclaire,
Que toute riens a sa droite nature
Vient et retrait, se trop n'est de mal aire,
5 Lors chanterai, car plus ne m'en puis taire,
Por conforter ma cruel aventure
Qui m'est tournee a grant desconfiture.

J'aing et desir ce qui de moi n'a cure.
Las ! je li dis, Amors le me fist faire :
10 Or me het plus que nule creature,
Et as autres la voi si debonaire.
Diex ! por quoi l'aing, quant je ne li puis plaire ?
Or ai je dit folie sanz droiture,
Qu'en bien amer ne doit avoir mesure.

15 A ma dolour n'a mestier coverture,
Si sui sopris que ne m'en puis retraire.
Mar acointai sa tres douce faiture
Por tel dolour ne por tel mal a traire,
Que ce me fait que nulz ne puet deffaire
20 Fors ses fins cuers dont vers moi est si dure,
Qu'a la mort sui, se sa guerre me dure.

Quand s'installe la saison du beau temps,
quand le bel été brille de tous ses feux
et que les êtres, à moins d'être mauvais,
retournent tous à leur vraie nature,
je dois chanter, ne pouvant plus me taire,
pour oublier la cruelle aventure
qui m'a causé le plus grand des malheurs.

J'aime et désire celle qui se moque de moi.
Hélas ! je lui ai dit : c'est Amour qui m'y poussa :
maintenant, elle me hait plus que nul être au monde,
elle que je vois si bonne avec les autres.
Dieu ! pourquoi l'aimer, puisque je ne puis lui plaire ?
Je viens de dire une injuste folie :
le véritable amour ignore toute mesure.

Impossible de cacher ma douleur :
je ne puis m'y soustraire, tant elle m'accable.
Pourquoi ai-je vu ces traits si charmants
qui m'ont plongé dans un si grand malheur
que personne ne peut le dissiper,
sauf ce noble cœur, envers moi si dur
que je suis mort, si mon mal se prolonge ?

Amors, Amors, je muir et sanz droiture.
Certes, ma mort vos devroit bien desplaire,
Quar en vos ai mise tote ma cure
25 Et mes pensers dont j'ai le jour cent paire.
S'or vos devoit mes beaus servises plaire,
Si en seroit ma joie plus seüre.
On dist pieça qu'il est de tout mesure.

Que crueus fait ses cuers s'il li outroie
30 Moi a haïr, dont je la voi certeinne,
Qu'en tout le mont ne li demanderoie
Fors que s'amour, qui a la mort me mainne.
S'ele m'ocit, molt fera que vileinne,
Et s'ainsi est que por li morir doie,
35 Ce est la morz dont mieuz morir voudroie.

Amour, Amour, je meurs injustement.
Oui, ma mort devrait vous déplaire,
puisque je vous consacre tous mes soins
et toutes mes pensées plus de cent fois par jour.
Si mon dévouement pouvait vous plaire,
ma joie en serait assurée.
Ne dit-on pas qu'il y a une mesure à tout ?

Son cœur est bien cruel, s'il lui permet
de me haïr, comme elle y est décidée,
car du monde entier je ne lui demanderais
que son amour qui me conduit à la mort.
Si elle me tue, ce sera bassesse,
et s'il arrive que je doive mourir pour elle,
c'est la mort dont je préfère mourir.

Guy, châtelain de Coucy

LA DOUCE VOIZ DU LOUSEIGNOL SAUVAGE

La douce voiz du louseignol sauvage
Qu'oi nuit et jour cointoier et tentir
M'adoucist si le cuer et rassouage
Qu'or ai talent que chant pour esbaudir ;
5 Bien doi chanter puis qu'il vient a plaisir
Cele qui j'ai fait de cuer lige homage ;
Si doi avoir grant joie en mon corage,
S'ele me veut a son oez retenir.

Onques vers li n'eu faus cuer ne volage,
10 Si m'en devroit pour tant mieuz avenir,
Ainz l'aim et serf et aour par usage,
Maiz ne li os mon pensé descouvrir,
Quar sa biautez me fait tant esbahir
Que je ne sai devant li nul language ;
15 Nis reguarder n'os son simple visage,
Tant en redout mes ieuz a departir.

Tant ai en li ferm assis mon corage
Qu'ailleurs ne pens, et Diex m'en lait joïr !
C'onques Tristanz, qui but le beverage,
20 Pluz loiaument n'ama sanz repentir ;
Quar g'i met tout, cuer et cors et desir,

La douce voix du rossignol sauvage
que j'entends nuit et jour gazouiller et jaser
apaise et soulage tant mon cœur
que de mes chants je désire me réjouir.
Je dois bien chanter puisque c'est le plaisir
de celle à qui j'ai de mon cœur fait hommage ;
et je dois avoir grande joie au fond de moi,
si elle veut me garder à son service.

Jamais envers elle mon cœur ne fut faux ni volage ;
aussi devrais-je avoir meilleure destinée ;
mais je l'aime et la sers et l'adore avec constance,
sans oser lui découvrir mes pensées,
car sa beauté me frappe d'un tel émoi
que devant elle je ne sais plus parler ;
je n'ose même plus regarder son pur visage,
tant j'ai de peine à en détacher les yeux.

J'ai en elle si fermement ancré mon cœur
que je ne pense à nulle autre — Dieu m'en laisse la [jouissance !
Jamais Tristan qui but le philtre
n'aima plus loyalement sans aucun regret.
Car je lui donne tout, cœur, corps et désir,

Force et pooir, ne sai se faiz folage;
Encor me dout qu'en trestout mon eage
Ne puisse assez li et s'amour servir.

25 Je ne dis pas que je face folage,
Nis se pour li me devoie morir,
Qu'el mont ne truis tant bele ne si sage,
Ne nule rienz n'est tant a mon desir;
Mout aim mes ieuz qui me firent choisir;
30 Lors que la vi, li laissai en hostage
Mon cuer, qui puiz i a fait lonc estage,
Ne ja nul jour ne l'en quier departir.

Chançon, va t'en pour faire mon message
La u je n'os trestourner ne guenchir,
35 Quar tant redout la fole gent ombrage
Qui devinent, ainz qu'il puist avenir,
Les bienz d'amours (Diex les puist maleïr!)
A maint amant ont fait ire et damage;
Maiz j'ai de ce mout cruel avantage
40 Qu'il les m'estuet seur mon pois obeïr.

LI NOUVIAUZ TANZ ET MAIS ET VIOLETE

Li nouviauz tanz et mais et violete
Et lousseignolz me semont de chanter,
Et mes fins cuers me fait d'une amourete
Si douz present que ne l'os refuser.
5 Or me lait Diex en tele honeur monter
Que cele u j'ai mon cuer et mon penser
Tieigne une foiz entre mes bras nuete
Ançoiz qu'aille outremer!

Au commencier la trouvai si doucete,
10 Ja ne quidai pour li mal endurer,

force et puissance, je ne sais si c'est folie.
Bien plus, je crains que toute ma vie
ne puisse suffire à la servir, elle et son amour.

Je ne dis pas que ce soit une folie,
même si pour elle je devais mourir,
car je ne trouve au monde femme si belle ni si sage,
ni être qui comble mieux mon désir.
Je sais gré à mes yeux de me l'avoir fait distinguer ;
dès que je la vis, je lui laissai en otage
mon cœur qui depuis a fait chez elle long séjour,
sans que jamais je cherche à le reprendre.

Chanson, va-t'en porter mon message
là où je n'ose retourner, fût-ce en cachette,
tellement je crains la folle engeance des jaloux
qui devinent, avant même que rien n'arrive,
les biens d'amour (Dieu les maudisse !).
Ils ont causé peine et dommage à maints amants ;
mais j'ai sur ce point un fort cruel avantage :
il me faut contre mon gré leur obéir.

Le printemps et le mois de mai, la violette
et le rossignol m'invitent à chanter,
et mon cœur loyal me fait d'un amour
le si doux présent que je ne l'ose refuser.
Que Dieu maintenant m'honore à un point tel
que celle qui a pris mon cœur et ma pensée,
je puisse une fois la tenir nue entre mes bras
avant de partir outre-mer !

Au commencement, je la trouvais si douce
que je ne pensais souffrir à cause d'elle,

Mes ses douz vis et sa bele bouchete
Et si vair oeill, bel et riant et cler,
M'orent ainz pris que m'osaisse doner ;
Se ne me veut retenir ou cuiter,
15 Mieuz aim a li faillir, si me pramete,
Qu'a une autre achiever.

Las ! pour coi l'ai de mes ieuz reguardee,
La douce rienz qui fausse amie a non,
Quant de moi rit et je l'ai tant amee ?
20 Si doucement ne fu trahis nus hom.
Tant con fui mienz, ne me fist se bien non,
Mes or sui suenz, si m'ocit sanz raison ;
Et c'est pour ce que de cuer l'ai amee !
N'i set autre ochoison.

25 De mil souspirs que je li doi par dete,
Ne m'en veut pas un seul cuite clamer ;
Ne fausse amours ne lait que s'entremete,
Ne ne me lait dormir ne reposer.
S'ele m'ocit, mainz avra a guarder ;
30 Je ne m'en sai vengier fors au plourer ;
Quar qui amours destruit et desirete,
Ne l'en doit on blasmer.

Sour toute joie est cele courounee
Que j'aim d'amours. Diex, faudrai i je dont ?
35 Nenil, par Dieu : teus est ma destinee,
Et tel destin m'ont doné li felon ;
Si sevent bien qu'il font grant mesprison,
Quar qui ce tolt dont ne puet faire don,
Il en conquiert anemis et mellee,
40 N'i fait se perdre non.

Si coiement est ma doleurs celee
Qu'a mon samblant ne la recounoist on ;
Se ne fussent la gent maleüree,
N'eüsse pas souspiré en pardon :

mais son doux visage, sa jolie petite bouche,
ses yeux vifs, beaux, riants et clairs,
m'avaient pris avant que je n'ose me donner à elle.
Si elle ne veut ni me retenir à son service ni m'affranchir,
j'aime mieux, pourvu qu'elle me laisse espérer, ne pas
que d'être heureux avec une autre. [l'obtenir

Hélas ! Pourquoi mes yeux ont-ils contemplé
la douce créature qui s'appelle Fausse Amie,
puisqu'elle se rit de moi qui l'ai tant aimée ?
Personne ne fut trahi avec tant de douceur. [bien ;
Tant que je fus mon propre maître, elle ne me fit que du
maintenant que je lui appartiens, elle me tue sans raison ;
et c'est parce que je l'ai aimée de tout mon cœur !
Voilà son seul motif.

Des mille soupirs que je lui dois,
elle ne veut me tenir quitte d'un seul,
et Amour le perfide ne manque pas de s'en mêler,
m'ôtant le sommeil et le repos.
Si elle me tue, elle aura moins de captifs à garder.
Je ne sais me venger qu'en pleurant ;
car celui qu'Amour détruit et déshérite,
on ne doit pas l'en blâmer.

De toutes les joies la plus grande vient
de la femme que j'aime. Dieu ! l'obtiendrai-je ?
Non, hélas ! Telle est ma destinée,
et ce destin, je le dois aux félons ;
ils savent bien qu'ils commettent une grave injustice,
car en ôtant ce qu'on ne peut donner,
on s'acquiert ennemis et querelle,
et l'on ne peut qu'y perdre.

Ma douleur est si discrète, si bien cachée
qu'à me voir on ne la devine pas ;
sans cette funeste engeance,
je n'aurais pas soupiré en vain :

45 Amours m'eüst doné son guerredon.
Maiz en cel point que dui avoir mon don,
Lor fu l'amour descouverte et moustree ;
    Ja n'aient il pardon !

Amour m'aurait accordé sa récompense.
Mais au moment précis où j'allais l'obtenir,
mon amour fut alors découvert et divulgué :
qu'on ne leur pardonne jamais !

Conon de Béthune

L'AUTRIER AVINT EN CEL AUTRE PAÏS

L'autrier avint en cel autre païs
C'uns chevaliers eut une dame amee.
Tant com la dame fu en son bon pris
Li a s'amor escondite et veee.
5 Puis fu un'jors k'ele li dist : « Amis,
Mené vous ai par parole mains dis ;
Ore est l'amors coneüe et provee.
Des or mais sui tot a vostre devis. »

Li chevalliers le regarda el vis,
10 Si la vit mout pale et descoulouree.
« Dame, fait-il, certes mal sui baillis
Ke n'eüstes piech'a ceste pensee.
Vostres cler vis, ki sambloit flors de lis,
Est si alés, dame, de mal em pis
15 K'il m'est a vis ke me soiés emblee.
A tart avés, dame, cest consell pris. »

Quant la dame s'oï si ramprosner,
Grant honte en ot, si dist par sa folie :
« Par Dieu, vassal, jel dis por vos gaber.
20 Quidiés vos dont k'a chertes le vos die ?
Onques nul jor ne me vint em penser.
Sariés vos dont dame de pris amer ?

Naguère il arriva en un autre pays
qu'un chevalier aima une dame.
Tant que la dame fut dans toute sa beauté,
elle refusa et repoussa son amour.
Puis arriva un jour qu'elle lui dit : « Ami,
je vous ai longtemps amusé par mes paroles ;
votre amour est maintenant reconnu et prouvé.
Désormais, je suis toute à vous. »

Le chevalier, regardant son visage,
la vit très pâle et sans couleur.
« Madame, fait-il, à coup sûr, quel malheur pour moi
que cette pensée ne vous soit pas venue plus tôt !
Votre beau visage, qui semblait fleur de lis,
s'est tellement flétri, Madame,
que j'ai l'impression de vous avoir perdue.
C'est trop tard, Madame, que vous avez pris cette déci-
[sion. »

Quand la dame s'entendit ainsi railler,
elle en eut honte et s'écria dans sa folie :
« Par Dieu, vassal, je l'ai dit pour me moquer de vous.
Croyez-vous que je parle sérieusement ?
Jamais telle idée ne me vint à l'esprit.
Sauriez-vous donc aimer une dame de qualité ?

Nenil, par Dieu ! ains vos prendroit envie
D'un bel vallet baisier et acoler. »

25 — « Dame, fait-il, j'ai bien oï parler
De vostre pris, mais ce n'est ore mie ;
Et de Troie rai jou oï conter
K'ele fu ja de mout grant signorie ;
Or n'i puet on fors les plaices trover.
30 Et si vous lo ensi a escuser
Ke cil soient reté de l'iresie
Qui des or mais ne vous vauront amer. »

— « Par Dieu, vassal, mout avés fol pensé,
Quant vous m'avés reprové mon eaige.
35 Se j'avoie tot mon jovent usé,
Si sui jou riche et de si haut paraige
C'om m'ameroit a petit de beauté.
Encoir n'a pas un mois entir passé
Ke li Marchis m'envoia son messaige,
40 Et il Barrois a por m'amor josté. »

— « Par Dieu, dame, ce vos a mout grevé
Ke vos fiés tos jors ens signoraige ;
Mais tel set ont ja por vos sospiré,
Se vos estiés fille au Roi de Cartaige,
45 Ki ja mais jor n'en aront volenté.
On n'aime pas dame por parenté,
Mais quant ele est belle et cortoise et saige.
Vos en savrés par tans la verité. »

MOUT ME SEMONT AMORS KE JE M'ENVOISE

Mout me semont Amors ke je m'envoise,
Quant je plus doi de chanter estre cois ;
Mais j'ai plus grant talent ke je me coise,
Por çou s'ai mis mon chanter en defois ;

Non, par Dieu ! vous auriez plutôt envie
d'embrasser et d'enlacer un bel adolescent. »

— « Dame, fait-il, j'ai bien entendu parler
de votre valeur, mais ce n'est pas maintenant ;
de Troie j'ai même entendu dire
que ce fut jadis une très grande puissance ;
or maintenant on n'en peut retrouver que les traces.
Pour ce, je vous conseille
de faire accuser de sodomie
ceux qui désormais ne voudront vous aimer. »

— « Par Dieu, vassal, vous avez été insensé
de me reprocher mon âge.
Même si ma jeunesse était tout à fait passée,
je suis riche et de si haut rang
qu'on m'aimerait avec peu de beauté.
Il n'y a pas encore un mois,
le Marquis m'a envoyé un message,
et le Barrois a jouté pour l'amour de moi. »

— « Par Dieu, Madame, vous avez beaucoup perdu
à compter toujours sur votre rang ;
mais grand nombre de ceux qui ont soupiré pour vous,
même si vous étiez la fille du Roi de Carthage,
ne voudraient plus le faire.
L'on n'aime pas une dame pour sa parenté,
mais pour sa beauté, sa courtoisie et sa sagesse.
Vous en reconnaîtrez bientôt la vérité. »

Amour m'invite à l'allégresse
quand je devrais plutôt rester silencieux ;
mais je préfère de beaucoup me taire :
aussi ai-je renoncé à chanter,

5 Ke mon langaige ont blasmé li François
Et mes cançons, oiant les Champenois
Et la Contesse encoir, dont plus me poise.

La Roïne n'a pas fait ke cortoise,
Ki me reprist, ele et ses fieus, li Rois.
10 Encoir ne soit ma parole franchoise,
Si la puet on bien entendre en franchois ;
Ne chil ne sont bien apris ne cortois,
S'il m'ont repris se j'ai dit mos d'Artois,
Car je ne fui pas norris a Pontoise.

15 Dieus ! ke ferai ? Dirai li mon coraige ?
Li irai je dont s'amor demander ?
Oïl, par Dieu ! car tel sont li usaige
C'on n'i puet mais sans demant rien trover ;
Et se jo sui outraigeus del trover,
20 Se n'en doit pas ma Dame a moi irer,
Mais vers Amors, ki me font dire outraige.

AHI ! AMORS, COM DURE DEPARTIE

Ahi ! Amors, com dure departie
Me convenra faire de la millor
Ki onques fust amee ne servie !
Dieus me ramaint a li par sa douçour,
5 Si voirement con j'en part a dolor !
Las ! k'ai je dit ? Ja ne m'en part je mie !
Se li cors va servir Nostre Signor,
Mes cuers remaint del tot en sa baillie.

Por li m'en vois sospirant en Surie,
10 Car je ne doi faillir mon Creator.
Ki li faura a cest besoig d'aïe,
Saiciés ke il li faura a grignor ;
Et saicent bien li grant et li menor

car les Français ont blâmé mon langage
et mes chansons, devant les Champenois
et la Comtesse aussi, ce qui me chagrine le plus.

La Reine ne s'est pas montrée courtoise
en me reprenant, elle et son fils, le Roi.
Même si je ne suis pas de langue française,
on peut bien me comprendre en français.
Ces gens ne sont pas bien élevés ni courtois,
qui m'ont blâmé pour mon parler d'Artois :
moi, je n'ai pas été élevé à Pontoise.

Dieu ! que ferai-je ? Lui dirai-je le fond de mon cœur ?
Irai-je donc lui demander son amour ?
Oui, par Dieu ! car tels sont les usages :
l'on ne peut plus rien obtenir sans le demander,
et si je suis trop audacieux dans ma prière,
ma Dame ne doit pas s'en fâcher contre moi,
mais contre Amour qui me fait dépasser les bornes.

Hélas ! Amour, quelle dure séparation
il me faudra souffrir d'avec la meilleure
qui fût jamais aimée et servie !
Que Dieu, dans sa douceur, me ramène à elle,
aussi vrai que je la quitte avec douleur !
Hélas ! Qu'ai-je dit ? Je ne la quitte pas :
si mon corps va servir Notre Seigneur,
mon cœur reste tout entier en son pouvoir.

Pour l'amour d'elle je m'en vais soupirant en Syrie,
car je ne dois pas manquer à mon Créateur.
Qui lui manquera quand il a besoin d'aide,
sachez que Dieu lui manquera dans un plus grand besoin ;
que les grands et les petits soient persuadés

Ke la doit on faire chevallerie
15 Ou on conquiert Paradis et honor
Et pris et los et l'amor de s'amie.

Dieus est assis en son saint iretaige;
Ore i parra con cil le secorront
Cui il jeta de la prison ombraje,
20 Quant il fu mis ens la crois ke Turc ont.
Honi soient tot chil ki remanront,
S'il n'ont poverte ou viellece ou malaige!
Et cil ki sain et jone et riche sont
Ne poevent pas demorer sans hontaige.

25 Tot li clergié et li home d'eaige
Qui ens ausmogne et ens biens fais manront
Partiront tot a cest pelerinaige,
Et les dames ki chastement vivront
Et loiauté feront ceaus ki iront;
30 Et s'eles font par mal consel folaige,
A lasques gens mauvaises le feront,
Car tot li boin iront en cest voiaige.

Ki chi ne velt avoir vie anuieuse
Si voist por Dieu morir liés et joieus,
35 Car cele mors est douce et savereuse
Dont on conquiert le resne presïeus,
Ne ja de mort n'en i morra uns sels,
Ains naistront tot en vie glorïeuse;
Et saiciés bien, ki ne fust amereus,
40 Mout fust la voie et boine et deliteuse.

Dieus! tant avons esté preus par huiseuse,
Or i parra ki a certes iert preus;
S'irons vengier la honte dolereuse
Dont chascuns doit estre iriés et honteus;
45 Car a no tans est perdus li sains lieus
Ou Dieus soffri por nos mort angoisseuse.
S'or i laissons nos anemis morteus,
A tos jors mais iert no vie honteuse.

que c'est là-bas qu'on doit montrer sa chevalerie
en conquérant Paradis et honneur
et valeur et louange et l'amour de sa mie !

Dieu est assiégé en son saint héritage ;
maintenant on va voir comment le secourront
les gens qu'il a tirés de la sombre prison,
quand il fut mis sur la croix que les Turcs ont prise.
Que soient couverts de honte tous ceux qui resteront,
à moins qu'ils ne soient pauvres, vieux ou malades !
Quant à ceux qui sont sains, jeunes et riches,
ils ne peuvent demeurer sans honte.

Tous les clercs et les gens âgés
qui continueront à faire l'aumône et la charité
participeront à ce pèlerinage,
comme les dames qui vivront chastement
et resteront fidèles aux croisés ;
mais si, mal conseillées, elles commettent une folie,
ce sera avec des lâches et des scélérats,
car tous les gens de bien partiront pour ce voyage.

Si l'on ne veut pas vivre ici humiliés,
il faut aller pour Dieu mourir dans l'allégresse,
car c'est une douce et agréable mort
quand, par elle, on conquiert le paradis.
Non, pas un seul ne mourra,
mais tous naîtront à la vie de gloire ;
sachez-le bien : si l'on n'était pas amoureux,
très agréable et plaisant serait ce voyage.

Dieu ! Combien de temps nous avons été inutilement preux !
Maintenant on va voir les véritables preux.
Nous irons venger la douloureuse honte
qui doit remplir chacun de colère et de honte ;
car c'est de notre temps que furent perdus les Lieux Saints
où Dieu souffrit l'angoisse de la mort.
Si nous y laissons nos ennemis mortels,
à tout jamais notre vie en sera déshonorée.

Gace Brulé

CONTRE TANZ QUE VOI FRIMER

Contre tanz que voi frimer
Les arbres et blanchoier,
M'est pris talenz de chanter,
Si n'en eüsse mestier ;
5 Qu'Amours me fet comperer
Ce c'onques ne seu trichier,
N'onques ne peu endurer
A avoir faus cuer legier,
Pour ç'ai failli a amie.

10 Mout par me seut bien grever
Ce qui me deüst aidier :
Ce est loiaument amer ;
Qu'ailleurs ne me soi vengier.
Dieus le me laist oublïer
15 Pour estre hors de dangier !
Neporquant, bien doi trover
Folie quant je la quier.
Ha ! las, folours n'est ce mie.

A tort m'ocïez, Dolour
20 Que point n'en deüsse avoir,
Maiz ciaus qui trichent Amour
Et servent pour decevoir.

Malgré ce temps où les arbres
se couvrent de givre et de frimas,
l'envie m'a pris de chanter ;
je m'en serais bien passé
car Amour me fait payer
de n'avoir su tricher,
de n'avoir pu supporter
d'être faux et volage.
Voilà pourquoi je n'ai pas d'amie.

J'ai coutume d'être puni
par ce qui devrait m'aider,
par un loyal amour,
car ailleurs je n'ai su prendre ma revanche.
Que Dieu me le fasse oublier
et que je sois libre !
Mais il est juste que je trouve
la folie, puisque je la cherche.
Hélas ! ce n'est pas une folie.

A tort, vous me tuez, Douleur,
je ne devrais pas en souffrir,
mais plutôt les tricheurs
qui servent Amour pour tromper.

De tant m'a Diex fet honour,
Dont bon gré li doi savoir,
25 C'ainc ne vi hore de jour
Que ne me feïst doloir
Ma douce dame anemie.

Dame, pour le Creatour
Creez moi, je vous di voir,
30 Qu'en moi n'a tant de vigour
Que le vous face savoir.
Au cuer en souspir et plour ;
Maiz ne vous daigne chaloir ;
Mieus me venist que valour
35 Faussist, quant l'alai veoir,
Et biautez et cortoisie.

Ha ! las, je pri et reblant
Ce qui me fera morir ;
Qu'Amours n'aloit el querant
40 Maiz que me peüst trahir ;
Mal bailli sont li amant
Qu'en sa merci puet tenir !
De moi ne voi nul samblant
Comment je m'en puisse issir,
45 Se pitiez ne m'en deslie.

Amours veut tout son talent
De moi grever acomplir.
Grant merveille est que j'aim tant,
Es maus que m'estuet soufrir.
50 A li m'otroi et conmant,
Quar bien le me puet merir ;
Hons qui aime en repentant
N'em puet pas au loins joïr,
Se d'eür n'a grant aïe.

55 A Guiot de Ponceaus mant
Ke nus ne puet trop servir ;
Pour Dieu, k'il ne s'esmait mie.

Dieu m'a donné cet honneur
dont je dois lui savoir gré :
jamais je n'ai connu d'heure
sans que ma douce ennemie
m'ait fait souffrir.

Dame, au nom du Créateur,
croyez-moi, c'est la vérité :
je n'ai pas en moi assez de force
pour vous le faire savoir.
Mon cœur en soupire et pleure,
mais vous n'y prêtez attention.
Il eût mieux valu que la valeur
fît défaut, quand je lui rendis visite,
et la beauté et la courtoisie.

Hélas ! je prie et flatte
ce qui me fera mourir,
car Amour ne cherche rien d'autre
que de pouvoir me trahir :
mal en point sont les amants
qu'il peut tenir en sa merci !
Pour moi, je ne vois nul moyen
de lui échapper,
si la pitié ne m'en délivre.

Amour veut réaliser son désir
de me torturer.
Il est prodigieux que j'aime tant,
parmi les maux qu'il me faut souffrir.
Je me voue et me confie à lui,
car il peut bien me récompenser.
Quand on aime à regret,
on ne peut en jouir longtemps,
si la chance ne vous vient en aide.

A Guy de Ponceaux, j'affirme
que personne ne peut trop servir ;
par Dieu, il ne faut pas s'effrayer.

GASSES define son chant
Ki tos jors velt maintenir
60 Boenne amor sans trecherie.

POUR MAL TEMPS NE POR GELEE

Pour mal temps ne por gelee
Ne lairai que je ne chant,
Car ensi vois ma pensee
Et mon mal reconfortant.
5 De la bele cui j'aing tant
Me vient si granz desirree
Quant plus l'aloing, plus la vuil.
Je l'aing plus que je ne sueil,
Més pou la voi, si m'en duil.

10 Quant primes l'oi esgardee,
Tant la vi bele et plaisant
Que je l'ai des lors amee
Et amerai mon vivant.
Ma mort pris en resgardant :
15 Se s'amors ne m'est donnee,
Dex ! mar la virent mi huil.
Je l'aing plus que je ne sueil,
Més pou la voi, si m'en duil.

Mainte douce remembree
20 Fais de li en sopirant.
Li pensers tant m'en agree
Que toz m'en vois obliant
Qu'Amors me remet devant
Sa grant biauté esmeree
25 Et son amorous acueil.
Je l'aing plus que je ne sueil,
Més pou la voi, si m'en duil.

Gace termine son chant,
soucieux d'être toujours fidèle
à un loyal amour sans tricher.

Le mauvais temps ni la gelée
ne m'empêcheront de chanter,
car j'apaise ainsi
ma pensée et mon mal.
Pour la belle que j'aime tant
j'éprouve un si grand désir
que plus je suis loin d'elle, plus je la veux.
Je l'aime plus que jamais,
mais je la vois peu et j'en souffre.

Quand, pour la première fois, je l'ai regardée,
je la vis si belle et si gracieuse
que depuis je l'ai aimée
et l'aimerai toute ma vie.
Je pris la mort en la regardant :
si je n'obtiens pas son amour,
c'est pour mon malheur que je la vis.
Je l'aime plus que jamais,
mais je la vois peu et j'en souffre.

J'ai souvent le doux plaisir
de penser à elle dans mes soupirs.
A y songer j'ai tant de joie
que j'en oublie tout le reste
et qu'Amour me représente
sa parfaite beauté
et son tendre accueil.
Je l'aime plus que jamais,
mais je la vois peu et j'en souffre.

Ja par moi n'iert oblïee,
Mais je ne sai s'ele i sent
30 Por ce que tant l'ai amee,
S'ele aint mon avancement
Et s'ele fait autre amant.
Ja n'avrai longue duree,
S'ele me torne a orgueil.
35 *Je l'aing plus que je ne sueil,*
Més pou la voi, si m'en duil.

Ce m'ocit qu'en sa contree
N'os aler a mon talant
Por la gent malaüree
40 Qui toz jors vont devinant.
Loing de li remain pensant,
S'en trai dure consirree
Que sovent mes eulz en mueil.
Je l'aing plus que je ne sueil,
45 *Més pou la voi, si m'en duil.*

Bele et bone, de vos chant
Et pans en vos a jornee
Et la nuit, quant me despoil.

Bochart, ce me fait pensant
50 Que n'est pas dou mal grevee
Dont je sopir a Nantueil.

QUANT JE VOI LE DOUZ TENS VENIR

Quant je voi le douz tens venir,
Que faut nois et gelee,
Et j'oi ces oisellons tentir
El bois soz la ramee,
5 Lors me fet ma dame sentir
Un mal dont ja ne qier garir,

Jamais je ne pourrai l'oublier,
mais je ne sais si elle se soucie
de mon long amour
pour souhaiter mon avantage
ou préférer un autre amant.
Je ne vivrai pas longtemps
si elle me traite avec orgueil.
Je l'aime plus que jamais,
mais je la vois peu et j'en souffre.

Ce qui me tue, c'est que je n'ose aller
en son pays comme je le désire
à cause de ces gens méchants
qui ne cessent de médire.
Je reste loin d'elle, pensif,
et en souffre si dure privation
que souvent mes yeux se mouillent.
Je l'aime plus que jamais
mais je la vois peu et j'en souffre.

Belle et bonne Dame, de vous je chante
et à vous je pense le jour
et la nuit, quand je me déshabille.

Bouchard, ce qui me rend pensif,
c'est qu'elle ne souffre pas du mal
qui me fait soupirer à Nanteuil.

Quand je vois venir le printemps,
  que fondent neige et gelée,
et que j'entends chanter les oisillons
  dans le bois sous la ramure,
alors ma dame me fait ressentir
un mal dont je ne cherche pas à guérir,

Ne ja n'en avrai mee
Entres q'il li viengne a plaisir
Qu'el m'ait joie donee.

10 Ha, Dex, car mi fetes morir,
Quant n'ai ce qui m'agree.
Mort, pren moi, plus nel puis sosfrir
Ne l'ai je esgardee.
Encor vueil je qu'a son plesir
15 Mi face ma dame languir
Se ma mort a juree ;
Mors sui, s'ensi se veut tenir
Que longuement me hee.

Douce dame, or vous voil proier
20 Que de rien que je die
Ne vous daigniez ja corrocier,
Més tenez a folie.
Par biau senblant sanz otroier
Me poez ma vie aloignier,
25 Si ne m'ocirroiz mie :
N'avez honor ou guerroier
Ce dont estes saisie.

BIEN CUIDAI TOUTE MA VIE

Bien cuidai toute ma vie
Joie et chançons oblïer,
Mais la contesse de Brie,
Cui comant je n'os veer,
5 M'a commandé a chanter,
Si est bien drois que je die,
Cant li plaist a conmander.

Je di que c'est grans folie
D'esaier ne d'esprover
10 Ne sa feme ne s'amie

et jamais je n'aurai de médecin
jusqu'à ce qu'il lui plaise
de m'accorder la joie.

Ha ! Dieu, faites-moi donc mourir,
puisque je n'ai pas ce qui me plaît.
Mort, prends-moi, je ne puis plus supporter
de ne pas l'avoir vue.
Mais j'accepte qu'à son gré
ma dame me fasse languir,
si elle a juré ma mort.
Je suis mort, si elle veut continuer
à me haïr longtemps.

Douce dame, je veux maintenant vous prier
que d'aucune de mes paroles
vous ne daigniez vous courroucer,
mais prenez-les pour folie.
Par un bon accueil, sans rien accorder,
vous pouvez prolonger ma vie,
et vous ne me tuerez pas :
vous n'avez aucune gloire à combattre
ce que vous possédez.

Je croyais bien pour le reste de ma vie
oublier joie et chansons,
mais la comtesse de Brie,
à qui je n'ose rien refuser,
m'a commandé de chanter,
et il est juste que j'obéisse,
puisqu'il lui plaît de le commander.

Je dis que c'est une folie
de s'enquérir et d'enquêter
sur sa femme ou sur son amie

Tant con om la welt amer ;
Ains se doit om bien garder
D'enquerre par jalozie
Ceu c'on n'i vodroit trover.

15 Coment que je chant ne rie,
Je deüsse melz plorer,
Cant la miedre m'est faillie ;
Car, quant g'i veul muelz parler
Et a li merci crier,
20 Lors me dist par contralie :
« Cant ireis vos outre mer ? »

Se elle est d'amors esprise,
Malement li ait manbreit
Conment j'ai a sa devise
25 Sans nul contredit esté ;
Mais, espoir, ce m'a grevé,
C'on ne conoist boin servise
Tant c'on ait autre esproveit.

Aillors ait s'entente mise,
30 Moi ait laissiet esgaré ;
Mais ja sa fiere contise
Ne vancra ma lëauteit.
Jai tant ne m'avrait faceit,
Que s'elle iert de .c. reprise,
35 Si la prendroie j'a gré.

Bien deüsse avoir conquise
S'amor a ma volenteit,
Por ceu ke j'ai sens faintixe
Tous jors loiaulment ameit.
40 Or ne m'ait pais an vilteit
Por la fievre qui m'ait prise,
Que j'en garai an esté.

Et sache bien de verté
Que j'ai plus grant covoitise
45 De s'amor que de santeit.

aussi longtemps qu'on veut l'aimer.
Combien il vaut mieux se garder
de rechercher par jalousie
ce qu'on ne voudrait pas trouver !

Bien que je chante ou rie,
je ferais mieux de pleurer
puisque j'ai perdu la meilleure,
car quand je me résous à lui parler,
et à lui crier grâce,
elle dit alors pour me contrarier :
« Quand irez-vous outre-mer ? »

Si elle est d'amour enflammée,
elle s'est bien mal souvenue
combien je lui fus dévoué
sans opposer de résistance ;
mais peut-être en ai-je pâti,
car on ne reconnaît pas de bon service
tant qu'on n'en a pas un autre éprouvé.

Elle est ailleurs occupée,
me laissant désemparé ;
mais jamais sa cruelle coquetterie
ne viendra à bout de ma loyauté.
Elle aurait beau m'avoir tant trompé
au point d'être par tous blâmée,
je continuerais à l'accepter.

Je devrais bien avoir gagné
son amour comme je le veux,
puisque j'ai sans feinte
toujours loyalement aimé.
Qu'elle ne me méprise pas
pour la fièvre qui m'a pris,
j'en guérirai cet été.

Mais qu'elle soit persuadée
que je désire beaucoup plus
son amour que la santé !

Gilles de Vieux-Maisons

CHANTER M'ESTUET, CAR PRIS M'EN EST CORAGE

Chanter m'estuet, car pris m'en est corage,
Non pas por ce que d'amer mi soit rien,
Car je n'i voi mon preu ne mon damage
Ne n'i conois ne mon mal ne mon bien ;
5 Et se je chant, li deduit en sont mien,
Si chanterai sanz amors, par usage ;
Je ne di pas qu'Amors ne face bien
Au chief dou tor foloier le plus sage.

Tel blasme Amors qui onc jor de sa vie
10 Loial amor ne bone ne conut,
Et tel i a qui cuide avoir amie
Bone et loial qui onques ne la fu ;
Por moi le di q'une en a deceü :
Quant g'en cuidai avoir la seignorie,
15 Au chief dou tor ne soi quel beste fu ;
Jamés d'amors ne me prendra envie.

Fox est et gars qui a dame se torne,
Qu'en lor amor n'a point d'afïement ;
Quand la dame se tient cointe et atorne,
20 C'est por faire son povre ami dolent,
Et la joie est au riche faus qui ment,

Il me faut chanter, car l'envie m'en est venue,
non pas que l'amour y soit pour rien,
car je n'y vois ni mon intérêt ni mon dommage,
je n'y trouve ni mon mal ni mon bien ;
et si je chante, c'est pour mon plaisir,
et je chanterai sans aimer, par habitude.
Mais je ne dis pas qu'Amour ne fasse pas
au bout du compte déraisonner le plus sage.

Tel blâme Amour qui jamais de sa vie
ne connut loyal et sincère amour,
et tel autre croit avoir une amie
sincère et loyale sans qu'elle le fût jamais.
Je le dis pour moi que l'une d'elles a trompé :
quand je croyais en être le seigneur,
au bout du compte je pus mesurer ma sottise.
Jamais ne me reprendra l'envie d'aimer.

Il faut être fou et misérable pour s'intéresser à une dame,
car à leur amour on ne peut faire confiance.
Quand la dame se pare de ses atours,
c'est pour rendre malheureux son pauvre ami,
réservant la joie au riche trompeur

Et au povre se tient eschive et morne ;
Por ce di ge qu'Amors vient de noiant :
De noient vient et a noient retorne.

25 Ore est Amors et remese et faillie,
Li faus amant l'ont fait dou tout faillir
Par leur barat et par leur tricherie,
Par leur faus plaindre et par leur faus souspir :
Quant il vuellent decevoir et traïr,
30 La plus estrange apelent douce amie,
Puis font senblant et chiere de morir
Li traïteur, qui li cors Dieu maudie.

Un jor fu ja que ces dames amoient
De cuer loial, sanz faindre et sans fauser,
35 Ces chevaliers larges, qui tout donoient
Por los et pris avoir de bien amer.
Mais or sont il eschars, chiche et aver,
Et ces dames, qui d'amer se penoient,
Ont tout laissié por aprendre a borser.
40 Morte est Amors, mort sont cil qui amoient.

Mainte en i a çainte d'une coroie
Qui ses amis ne fait fors de guiller :
Cestui ne veut, et a cestui s'otroie,
Cestui retient et cestui laisse aler.
45 Qui en poroit une leal trover
Bien en devroit ses cuers avoir grant joie.
J'en sai une, se me voloit amer,
De bone amor aseürez seroie.

et faisant grise mine au pauvre.
C'est pourquoi je dis qu'Amour naît du néant :
du néant il naît, au néant il retourne.

Maintenant Amour est ruiné et déchu,
les faux amants l'ont anéanti
par leur ruse et leur tromperie,
par leurs fausses plaintes et leurs faux soupirs :
quand ils veulent séduire et trahir,
ils appellent douce amie la plus étrangère,
puis font semblant de mourir,
ces traîtres, Dieu les maudisse !

Il fut un temps où les dames aimaient,
d'un cœur loyal, sans feinte ni fausseté,
les chevaliers généreux qui donnaient tous leurs biens
pour la réputation d'un bel amour.
Mais maintenant ils sont avares et chiches,
et les dames, qui s'appliquaient à aimer,
ont tout abandonné pour apprendre à amasser.
Amour est mort, et morts sont les amants.

Il en est beaucoup qui portent un cilice,
et ne font que tromper leurs amis ;
elle ne veut pas de l'un et s'abandonne à l'autre,
elle retient l'un et laisse partir l'autre.
Si l'on pouvait en trouver une qui fût loyale,
on devrait avoir grande joie au cœur.
J'en connais une : si elle voulait m'aimer,
je serais sûr de sa loyauté.

Blondel de Nesle

A L'ENTREE DE LA SAISON

A l'entree de la saison
Qu'ivers faut et lait le geler,
Que la flours naist lez le buisson,
Bien la doit cueillir et porter
5 Qui amez est sanz compaignon.
Maiz cil a mout mal guerredon,
Qui aimme et bien n'i puet trouver.

Pour moi le di ; en ma chançon
Le puet l'en oïr au chanter,
10 Que cele a mout le cuer felon
Qui tant me fet a li penser
Et bien set que sui en prison.
S'or ne me met a guarison,
Nule autre ne m'en puet jeter.

15 Dame, quele est vo volentez ?
Morra pour vous si bons amis ?
Touz jours vous serai reprouvez,
Se je sui en ceste fin pris,
S'ensinc me muir et desamez.
20 Se meilleur conseill n'en prendez,
Je morrai, quar vous m'avez pris.

Au début de la saison
où prennent fin hiver et gelée,
et que fleur naît sur le buisson,
on doit la cueillir et l'arborer
quand on est aimé plus que personne ;
mais on est mal récompensé
quand on aime sans trouver le bonheur.

Pour moi je le dis : dans ma chanson
on peut le sentir à mon chant,
car elle a le cœur bien cruel
celle qui m'obsède de sa pensée
et qui me sait en sa prison.
Si elle ne m'apporte la guérison,
nulle autre ne peut m'en délivrer.

Madame, que voulez-vous donc ?
Faut-il que meure pour vous si bon ami ?
Toujours on vous le reprochera
si je connais cette triste fin,
que je meure sans être aimé.
Si vous ne prenez meilleur parti,
je mourrai, car je suis votre prisonnier.

Ja n'iere maiz reconfortez
Par nule autre, ce m'est a vis,
S'a cest grant besoig me falez,
25 Que ne soie amez ne joïs.
Et se vous merci n'en avez,
Pour Dieu, ja nel me racontez !
Mieuz aim ensi vivre touz dis.

Gasses, tel compaignon avez ;
30 Blondiaus a teus biens encontrez
Com fausse riens li a pramis.

Jamais je ne serai consolé
par aucune autre, je le sais bien,
si dans ce besoin vous me faites défaut,
me refusant amour et joie.
Et si vous n'avez de moi pitié,
par Dieu, ne m'en dites rien !
Je préfère vivre ainsi toute ma vie.

Gace, tel est votre compagnon :
Blondel a obtenu tous les biens
qu'une fausse amie lui a promis.

Robert Mauvoisin

AU TENS D'ESTÉ, QUE VOI VERGIERS FLORIR

Au tens d'esté, que voi vergiers florir,
Que l'erbe point contreval le rivage,
Que cil oisel sont de joie esbaudi
Qui sont oissu du felon tens sauvage,
5 Pour la meilleur qui soit en nul aage
Chant, que sanz li ne me puet bien venir,
N'a sa biauté ne se doit aatir
Nule dame, tant soit de haut parage.

Faus losengier qui servent pour traïr,
10 N'est pas amors, honis soit leur usage.
Pour moi le di c'onques ne soi mentir
Vers ma dame puis que li fis honmage,
Et si n'oi onc envers li faint corage.
Quant li plera, bien me savra merir :
15 N'a pas heneur a moi fere languir,
Qu'a moi grever a mon cuer d'avantage.

Ja ne quier més moi ne mon cuer partir,
Douce dame, de vostre seignorage.
Vers vous m'estuet mon conseil descouvrir :
20 Se jel vos di, nel tenez a outrage ;
Se gel vous çoil, g'i cuit avoir domage,

Au temps d'été que je vois les vergers fleurir,
que l'herbe point le long de la rivière,
que les oiseaux sont tout joyeux
d'être sortis du temps cruel de l'hiver,
pour la meilleure qui soit jamais née
je chante, car sans elle je ne puis rien obtenir de bon,
et aucune dame ne peut prétendre
à sa beauté, quelle que soit sa noblesse.

Les fourbes flatteurs qui servent pour tromper,
n'aiment pas : honnies soient leurs pratiques !
Je le dis pour moi qui jamais ne sus mentir
à ma dame depuis que je lui ai fait hommage,
et je ne lui ai jamais déguisé mes sentiments.
Quand il lui plaira, elle saura me récompenser :
elle ne retire nulle gloire à me faire languir,
car, à me tourmenter, elle fortifie mon amour.

Je ne cherche pas, douce Dame, à soustraire
moi-même ni mon cœur à votre autorité.
Je suis contraint de vous révéler mon secret :
si je vous le dis, n'y voyez pas d'impudence ;
si je vous le cache, j'en subirai du dommage,

Car de vous sont les maus dont criem morir
Et la dolor qu'Amors me fet sentir,
Dont ja ne qier partir en mon eage.

25 Mult m'a bien fet ma dame percevoir
Tele amor n'est pas pour noient donee,
Sanz grant paine et sanz grant mal avoir.
Las ! et je l'ai chierement achatee :
La haute amor qui m'est el cuer entree
30 Souvent me fet le cuer el cors doloir,
Et si m'en puis tres bien apercevoir
C'onques en li ne fu merci trouvee.

Douce dame, j'ai mis mon cuer et moi
En vous amer et toute ma pensee ;
35 Ne l'en qier mes a nul jor removoir.
Pour ce vous pri merciz i soit trouvee,
En vostre cuer soit grant valeur doublee,
Car je vous aim de cuer sanz decevoir,
Que sanz pitié ne puet bonté avoir
40 Nule dame qui soit de mere nee.

car de vous viennent les maux dont je crains de mourir
et la douleur qu'Amour me fait éprouver,
et que de toute ma vie je ne cherche pas à fuir.

Ma Dame m'a bien fait comprendre
qu'un tel amour n'est pas gratuitement donné,
sans qu'on éprouve peine et malheur.
Hélas ! Je l'ai chèrement payé :
le grand amour qui m'est entré au cœur
me fait souvent souffrir,
et je peux m'en rendre compte,
car jamais en elle je n'ai trouvé de pitié.

Douce Dame, à vous aimer j'ai voué
mon cœur, ma personne et mes pensées ;
je ne veux jamais y renoncer.
C'est pourquoi je vous demande grâce,
afin qu'augmente la grande valeur de votre cœur,
car je vous aime de toute mon âme sans tromperie.
Sans la pitié, nulle dame en ce monde
ne peut connaître la grandeur.

Gautier de Coinci

BIEN VOZ POEZ D'AMORS VANTER

Bien voz poez d'amors vanter
Et liement devez chanter,
Vous cloistrieres, voz damoiseles,
As vois qu'avez plaisans et beles :

5 La fontenele i sort clere
Boene aventure ait ma mere,
Qui si bien me maria,
Dire puet bien tele i a.

La fontaine i sort serie.
10 Jhesucriz, li fiz Marie,
Tout entier ce cuer ci a,
Dire puet bien tele i a.

La fontaine i sort serie.
Dieus, Dieus, Dieus ! mon cuer n'ai mie,
15 Li dous Dieus, li dous Dieus l'a,
Dire puet bien tele i a.

Mere Dieu, virge Marie,
Mes cuers a toi se marie,
Et tes fiz tout mon cuer a,
20 Dire puet bien tele i a.

Vous pouvez bien de votre amour vous vanter
et devez avec joie chanter,
vous, religieuses, vous, demoiselles,
de vos voix agréables et belles.

La fontaine jaillit claire.
Qu'heureuse soit ma mère
qui m'a si bien mariée !
Chacune peut l'affirmer.

La fontaine jaillit paisible.
Jésus-Christ, le fils de Marie,
retient ce cœur tout entier :
chacune peut l'affirmer.

La fontaine jaillit paisible.
Dieu, Dieu, Dieu ! mon cœur n'est plus à moi,
le doux Dieu, le doux Dieu le possède :
chacune peut l'affirmer.

Mère de Dieu, Vierge Marie,
mon cœur à toi est marié,
et ton fils l'a tout entier :
chacune peut l'affirmer.

Li cuers d'amors me fremie :
Cil l'a tout, je n'en ai mie,
Qu'en la crois pendre voi la,
Die cele qui voile a.

25 La fontaine i sort serie.
Dieus ! mon cuer, je n'en ai mie,
Jhesucriz, mes amis, l'a,
De chanter ne finez ja.

Diex ! mon cuer, je n'en ai mie.
30 Cil l'a sanz parçonnerie
Qui d'anel d'or m'espousa.
Mes chiez por Dieu se tousa.

Mon cuer a, je n'en ai mie,
Et ara toute ma vie.
35 Ja por nului nel laira,
S'amors me plaist et plaira.

Mon cuer a, je n'en ai mie,
M'ame ou ciel comme s'amie
A grant joie espousera.
40 Ja mes cuers nel faussera.

Mon cuer a, je n'en ai mie.
Por ma crine qu'ai guerpie
Corone d'or me donra,
Qui de mal me semonra...

45 Ne de nule vilenie
Diex le cors escommenie,
L'ame dampne et dampnera
. . . .

Se dou siecle sui banie
50 Por ma noire sozquenie,
Comme florete espanie
M'ame ou ciel blanche en ira.

Mon cœur frémit d'amour :
Dieu le possède sans que j'en aie rien,
Lui que je vois pendre à la croix :
on peut le dire sous le voile.

La fontaine jaillit paisible.
Dieu, mon cœur n'est plus à moi,
Jésus-Christ, mon ami, le possède :
de chanter ne cessez jamais.

Dieu, mon cœur n'est plus à moi.
Dieu l'a sans aucun partage,
lui qui de son anneau d'or m'épousa.
J'ai pour Dieu coupé mes cheveux.

Il a mon cœur sans que j'en aie rien,
il l'aura toute ma vie.
Jamais mon cœur ne le laissera,
son amour me charme et me charmera.

Il a mon cœur sans que j'en aie rien ;
mon âme au ciel, comme son amie,
dans la liesse il l'épousera.
Jamais mon cœur ne le trompera.

Il a mon cœur sans que j'en aie rien.
Pour mes cheveux que j'ai laissés,
il me donnera une couronne d'or
qui du mal me préservera.

Pour toutes les infamies
Dieu excommunie le corps,
Il damne et damnera l'âme
. . . .

Si du monde je suis bannie
avec mon manteau noir,
comme une fleur épanouie
mon âme au ciel toute blanche montera.

Ne sui mate n'esmarie :
Mes mariz, li fix Marie
55 Qui les siens ou ciel marie
M'ame au ciel marïera.

Je ne suis pas triste ni affligée :
mon mari, le fils de Marie
qui au ciel marie les siens,
au ciel mariera mon âme.

Thibaut de Blaison

CHANTER ET RENVOISIER SUEIL

Chanter et renvoisier sueil;
Or m'estuet plaindre et plorer
Quant je pert ce qu'amer sueil :
Riens ne mi puet conforter.
5 Trop furent crüel mi oeil
Qui la m'oserent moustrer;
G'en pleur et souspir et dueil,
Qu'a force mi fet amer.

Bien me puis apercevoir
10 Qu'il est voirs ce que l'en dit :
Ce qu'en a a son vouloir
L'en le prise mult petit,
Et ce qu'en ne puet avoir
Tient l'en a si grant delit.
15 Amors le m'ont fet savoir
Qui m'ont mis en leur escrit.

Hé, dame, de vostre ami
Pour Dieu praingne vous pitié!
Nel metez mie en oubli
20 S'il est de vous esloignié.
Son cuer a parmi parti :
Vostre en est l'une moitié,

J'ai coutume de chanter et de rire,
il me faut maintenant me plaindre et pleurer
puisque je perds ce que j'ai coutume d'aimer :
rien ne peut me réconforter.
Bien cruels furent mes yeux
qui osèrent me la montrer ;
j'en pleure et soupire et souffre,
car elle me fait aimer malgré moi.

Je peux bien me rendre compte
que ce qu'on dit est la vérité :
ce dont on dispose à son gré,
on l'apprécie fort peu,
mais à ce qu'on ne peut obtenir,
on trouve une exquise saveur.
Je l'ai appris d'Amour
qui m'a enrôlé dans sa troupe.

Ah ! Madame, de votre ami,
par Dieu, prenez pitié !
Veuillez ne pas l'oublier
si de vous il est éloigné.
Son cœur est partagé :
vous en possédez une moitié

De l'autre n'est il sesi
Se n'est par vostre congié.

25 Douce dame, ce m'est vis,
Bien sai pour vous me morrai :
Plus m'a sorpris vostre vis
Qu'oisel qui est pris au broi.
Quant regart vostre cler vis
30 Que tant aim de cuer verai,
Je cuit bien enragier vis,
Se n'avez merci de moi.

En ma chançon je vous pri,
Dame, plus ne vous demant,
35 Que ne metez en oubli
Cil qui pour vous va morant.
Ce sont certes anemi
Qui si vos vont delaiant :
Deus dont qu'il soient honi
40 Ainz le soleil esconsant.

QUANT SE RESJOÏSSENT OISEL

Quant se resjoïssent oisel
Au tens que je voi renverdir,
Vi deus dames soz un chastel
Floretes en un pré coillir.
5 La plus jone se gaimentoit
A l'ainneie se li disoit :
« Dame, conseil vos quier et pri
De mon mari qui me mescroit,
Et se n'i a encor nul droit,
10 C'onques d'amors n'oi fors lo cri.
A tort sui d'amors blasmeie,
Lasse ! si n'ai point d'ami. »

et l'autre ne lui appartient
que par votre congé.

Douce dame, à mon avis,
je suis sûr de mourir pour vous.
Votre visage m'a surpris plus
qu'oiseau pris au piège.
Quand je contemple votre lumineux visage
que j'aime de tout mon cœur,
je crois perdre la raison
si vous n'avez pitié de moi.

Par ma chanson je vous prie,
Madame, c'est ma seule demande,
de ne pas oublier
celui qui pour vous se meurt.
Oui, ce sont des ennemis
qui créent ces retards :
puisse Dieu les honnir
avant le coucher du soleil !

Quand se réjouissent les oiseaux,
au temps où tout reverdit,
je vis deux dames sous un château
qui en un pré cueillaient des fleurs.
La plus jeune se plaignait
à son aînée et lui disait :
« Madame, je vous prie de me conseiller
à propos de mon mari qui me soupçonne
sans en avoir la moindre raison,
car jamais je n'eus d'aimer que la réputation.
A tort on me reproche d'aimer,
hélas ! sans que j'aie d'ami. »

« Conseil vos donrai boen et bel
Por lui faire de duel morir,
15 Ke vos faites ami novel :
Que d'amer ne se doit tenir
Nule dame qui jone soit,
Ainz face ami cointe et adroit.
Et vos avez cors seignori,
20 Graille et grasset et lonc et droit :
S'uns chevaliers de vostre endroit
Vos prie, s'en aiez merci.
Mal ait qui por mari
Lait son leial ami. »

25 « Mout m'avez bien selonc mon cuer
Conseillie, se Deus me saut.
Or ne m'en tenroie a nul fuer,
Car qui n'aime mout petit vaut,
Si com li monz tesmoigne et croit,
30 Que por mari lassier ne doit
Joune dame ne face ami.
Uns beals cheveliers m'en prioit,
Or lo desir, or lo covoit,
Or li outroi m'amor des ci.
35 *Toz li monz ne me garderoit*
De faire ami.

Mout m'anuie, ma bele suer :
Quant li jalous ou lit m'asaut
Adonc en voldroie estre fuer
40 En prez ou en bois ou en gaut,
Avoc celui qui me soloit
Proier et qui de cuer m'amoit,
Car li jalous m'anuie si :
De Deu maldi, et j'ai bien droit,
45 Qui lo me dona, qui qu'il soit,
C'onques si tres malvais ne vi.
Je sui malmise al marïer
Si me vuel amander d'ami. »

« Je vais vous donner un très bon conseil
pour le faire mourir de chagrin :
prenez donc un autre ami.
On ne doit pas s'abstenir d'aimer
quand on est une jeune femme,
mais il faut prendre un ami élégant.
Vous-même avez le corps gracieux,
bien proportionné, grand et svelte.
Si un chevalier de votre milieu
vous prie, ayez pitié de lui.
Maudite celle qui pour un mari
renonce à son loyal ami ! »

« Vous m'avez selon mon cœur
bien conseillée, Dieu me sauve !
Je ne m'en abstiendrais à aucun prix,
car, à ne pas aimer, on est méprisable,
c'est ce que tout le monde répète :
pour un mari, une jeune femme
ne doit pas renoncer à prendre un ami.
Un beau chevalier m'en priait :
maintenant je le désire et l'attends,
dès maintenant je lui accorde mon amour.
Le monde entier ne saurait m'empêcher
de prendre un ami.

Je souffre le martyre, ma chère sœur :
quand le jaloux au lit m'attaque,
je voudrais en être loin,
dans un pré, une forêt ou un bois,
avec celui qui ne cessait
de me prier et qui vraiment m'aimait,
car le jaloux me harcèle tant !
Par Dieu je maudis, et c'est justice,
qui me le donna pour époux, quel qu'il soit,
car jamais je ne vis être si méchant.
Malheureuse en ménage,
je veux me rattraper avec un ami. »

Quachiez m'iere soz un ramier
50 Pres d'eles por lo meuz oïr.
Atant ez vos un chevalier
A cheval par lo pré venir
Qui mout biaus et jones estoit.
Tant tost com la dame aperçoit
55 Del cheval a pié dessendi,
Envers eles lo cors aloit.
Et quant la tres bele lo voit
Andeus ses biaus braz li tendi :
Ansi va bele dame
60 *A son ami.*

S'onques li fist mal ne dongier
La dame, bien li soit merir
De bel parler et d'acointier
Et de faire tot son plaisir.
65 Con cil qui toz les biens savoit,
Petit et petit s'esloignoit
. . . .
Et quanque cil adés baisoit,
K'es biaus braz s'amie gisoit,
70 El chante et note et dit ensi :
« *Chescuns dist : bele, amez moi.*
Deus ! et j'ai si leial ami. »

Je m'étais caché sous la ramée,
près d'elles, pour mieux entendre.
Or voici qu'un chevalier
par le pré vint à cheval,
et il était très beau et jeune.
Aussitôt qu'il aperçut la dame,
il mit pied à terre
et courut vers elles.
Dès qu'il vit la merveille,
il lui tendit ses deux beaux bras :
ainsi va belle dame
vers son ami.

S'il rencontra quelque résistance,
chez la dame, il sut bien la mériter
par ses belles paroles et sa courtoisie
et son entière soumission.
En femme remplie de toutes les qualités,
l'autre discrètement s'éloigna
. . . .
Et tandis que le chevalier couvrait de baisers
son amie qu'il serrait de ses beaux bras,
elle chantait le refrain que voici :
« *Chacun dit : belle, aimez-moi.*
Dieu ! moi, j'ai un si loyal ami. »

Thibaut de Champagne

POR CONFORTER MA PESANCE

Por conforter ma pesance
Faz un son.
Bons ert, se il m'en avance,
Car Jason,
5 Cil qui conquist la toison,
N'ot pas si grief penitance.
E! é! é!

Je meïsmes a moi tence,
Car reson
10 Me dit que je faz enfance,
Quant prison
Tieng ou ne vaut raençon;
Si ai mestier d'alejance.
E! é! é!

15 Ma dame a tel conoissance
Et tel renon
Que g'i ai mis ma fiance
Jusqu'en son.
Meus aim que d'autre amor don
20 Un regart, quant le me lance.
E! é! é!

Pour apaiser ma peine
je chante.
Je serai heureux d'y trouver de l'aide,
car Jason,
celui qui conquit la toison,
ne subit pas plus lourde pénitence.
Ohé !

A moi-même je fais des reproches,
car Raison
me dit qu'il est puéril
d'être en prison
sans espoir de rançon :
j'ai besoin d'apaisement.
Ohé !

Ma dame est si avisée
et si renommée
qu'en elle j'ai mis
toute ma confiance.
A tout autre don d'amour je préfère
qu'elle me lance un regard.
Ohé !

Melz aim de li l'acointance
Et le douz non
Que le roiaume de France.
25 Mort Mahon!
Qui d'amer qiert acheson
Por esmai ne pour dotance!
E! é! é!

Bien ai en moi remenbrance
30 A conpaignon;
Touz jorz remir sa senblance
Et sa façon.
Aiez, Amors, guerredon!
Ne sosfrez ma mescheance!
35 *E! é! é!*

Dame, j'ai entencion
Que vos avroiz conoissance.
E! é! é!

LI ROSIGNOUS CHANTE TANT

Li rosignous chante tant
Que morz chiet de l'arbre jus;
Si bele mort ne vit nus,
Tant douce ne si plesant.
5 Autresi muir en chantant a hauz criz,
Que je ne puis de ma dame estre oïz,
N'ele de moi pitié avoir ne daigne.

Chascuns dit q'il aime tant
C'onques si fort n'ama nus.
10 Ce fet les amanz confus
Que trop mentent li truant;
Mès dame doit conoistre a leur faus diz
Que de toz biens s'est leur faus cuers partiz,
N'il n'est pas droiz que pitiez leur en praingne.

J'aime mieux sa présence
et son doux prénom
que le royaume de France.
A tous les diables,
si l'on critique l'amour
d'apporter angoisse et crainte !
Ohé !

J'ai en moi mille souvenirs
qui m'accompagnent ;
chaque jour je revois son image
et ses traits.
Exaucez-moi, Amour !
Ne souffrez pas mon infortune !
Ohé !

Madame, j'espère bien
que vous me comprendrez.
Ohé !

Le rossignol chante tant
qu'il tombe, mort, de l'arbre.
Vit-on jamais si belle mort,
si douce et si agréable ?
De même façon je meurs en chantant à voix forte,
car je n'arrive pas à être écouté de ma Dame
qui ne daigne pas avoir pitié de moi.

Chacun dit qu'il aime tant
que jamais personne n'aima si fort.
Ce qui accable les amants,
ce sont les mensonges des scélérats ;
mais une dame doit connaître à leurs fausses paroles
que toute qualité a déserté leur cœur perfide,
et elles ne doivent pas les prendre en pitié.

15 Onques fierté n'ot si grant
Vers Pompee Julius
Que ma dame n'en ait plus
Vers moi, qui muir desirrant.
Devant li est touz jorz mes esperiz
20 Et nuit et jor li crie mil merciz,
Besant ses piez, que de moi li souviengne.

J'en trerai Dieu a garant
Et touz les sainz de lasus
Que, se nus puet amer plus,
25 Que je n'aie amendement
Ne ja de vous ne soie mès oïz,
Ainz me tolez voz debonaires diz
Et me chaciez com beste de montaingne.

Je ne cuit pas que serpent
30 N'autre beste poigne plus
Que fet Amors au desus ;
Trop par sont si coup pesant.
Plus tret souvent que Turs ne Arrabiz,
N'onques oncor Salemons ne Daviz
35 Ne s'i tindrent ne q'uns fous d'Alemaigne.

N'est merveille se je sui esbahiz,
Que li conforz me vient si a enviz
Que je dout mout que touz biens ne sousfraigne.

Dame, de vous ne puis estre partiz,
40 Si vous en jur les grez et les merciz
Que je atent c'oncor de vous me viengne.

Mainz durs assauz m'avra Amors bastiz.
Chançon, va tost et non pas a enviz
Et salue nostre gent de Champaigne !

Jamais si cruel ne fut
César envers Pompée
que ma Dame ne le soit davantage
envers moi qui meurs de désir.
Toujours à côté d'elle mon esprit
lui crie, nuit et jour, mille fois grâce,
baisant ses pieds, pour que de moi elle se souvienne.

J'en prendrai Dieu à témoin
et tous les saints du ciel :
si l'on peut aimer davantage,
que je n'aie aucun pardon
et que jamais de vous je ne sois entendu !
Privez-moi plutôt de vos tendres paroles
et chassez-moi comme une bête sauvage.

Je ne crois pas qu'un serpent
ou une autre bête morde plus fort
qu'Amour quand il triomphe ;
ses coups sont si pesants !
Il lance plus de flèches qu'un Turc ou un Arabe,
et jamais Salomon ni David
n'y résistèrent mieux qu'un fou d'Allemagne.

Il n'est pas étonnant que je sois effrayé,
car le réconfort m'est si chichement donné
que je crains fort que tout plaisir me soit refusé.

Madame, je ne puis être séparé de vous,
je vous le jure par les faveurs et les grâces
que de vous j'attends encore.

Amour m'aura livré maints durs combats.
Chanson, va vite et sans rechigner
saluer notre peuple de Champagne !

AUSI CONME UNICORNE SUI

Ausi conme unicorne sui
Qui s'esbahist en regardant,
Quant la pucele va mirant.
Tant est liee de son ennui,
5 Pasmee chiet en son giron ;
Lors l'ocit on en traïson.
Et moi ont mort d'autel senblant
Amors et ma dame, por voir :
Mon cuer ont, n'en puis point ravoir.

10 Dame, quant je devant vous fui
Et je vous vi premierement,
Mes cuers aloit si tressaillant
Qu'il vous remest, quant je m'en mui.
Lors fu menez sanz raençon
15 En la douce chartre en prison
Dont li piler sont de talent
Et li huis sont de biau veoir
Et li anel de bon espoir.

De la chartre a la clef Amors
20 Et si i a mis trois portiers :
Biau Senblant a non li premiers,
Et Biautez cele en fet seignors ;
Dangier a mis a l'uis devant,
Un ort felon vilain puant,
25 Qui mult est maus et pautoniers.
Cil troi sont et viste et hardi :
Mult ont tost un honme saisi.

Qui porroit sousfrir les tristors
Et les assauz de ces huissiers ?
30 Onques Rollanz ne Oliviers
Ne vainquirent si granz estors ;
Il vainquirent en conbatant,
Mès ceus vaint on humiliant.
Sousfrirs en est gonfanoniers ;

Je suis comme la licorne
troublée de contempler
la jeune fille qui l'enchante,
si joyeuse de son supplice
que pâmée elle tombe en son giron,
et qu'on la tue alors par trahison.
Moi aussi, avec de semblables appâts m'ont tué
Amour et ma Dame, en vérité :
ils ont mon cœur que je ne puis reprendre.

Madame, quand devant vous je fus
et vous vis pour la première fois,
mon cœur battait si fort
qu'il resta avec vous quand je m'en fus.
Il fut alors emmené sans rançon,
prisonnier de la douce geôle
dont les piliers sont de désir,
les portes d'agréable vision
et les chaînes de tendre espoir.

De la geôle Amour a la clef,
et il a mis trois portiers :
Beau Semblant se nomme le premier,
Beauté en est le maître,
Danger se tient à l'entrée,
répugnant traître vil et puant,
malfaisant et scélérat.
Ces trois-là, vifs et hardis,
ont vite fait d'attraper un homme.

Qui pourrait souffrir les affronts
et les attaques de ces portiers ?
Jamais Roland ni Olivier
ne vainquirent en si rudes combats ;
ils vainquirent en se battant,
mais ceux-là, on les vainc en s'humiliant.
Souffrance porte l'étendard

35 En cest estor dont je vous di
N'a nul secors fors de merci.

Dame, je ne dout mès riens plus
Que tant que faille a vous amer.
Tant ai apris a endurer
40 Que je sui vostres tout par us ;
Et se il vous en pesoit bien,
Ne m'en puis je partir pour rien
Que je n'aie le remenbrer
Et que mes cuers ne soit adès
45 En la prison et de moi près.

Dame, quant je ne sai guiler,
Merciz seroit de seson mès
De soustenir si greveus fès.

AU TENS PLAIN DE FELONNIE

Au tens plain de felonnie,
D'envie et de traïson,
De tort et de mesprison,
Sanz bien et sanz cortoisie,
5 Et que entre nos baron
Fesons tout le siecle empirier,
Que je voi esconmenïer
Ceus qui plus offrent reson,
Lors vueil dire une chançon.

10 Li roiaumes de Surie
Nos dit et crie a haut ton,
Se nos ne nos amendon,
Pour Dieu ! que n'i alons mie :
N'i ferions se mal non.
15 Deus aime fin cuer droiturier,
De teus genz se veut il aidier ;

en ce combat dont je vous parle,
et il n'est de salut qu'en la pitié.

Madame, je ne redoute rien autant
que de faillir à votre amour.
J'ai tant appris à souffrir
que je suis à vous par habitude.
Même si vous en étiez fâchée,
je ne pourrais m'en séparer
sans en garder le souvenir,
sans que mon cœur soit toujours
en prison, près de moi.

Madame, puisque je ne sais feindre,
pitié serait mieux de saison
que de soutenir si lourd fardeau.

En ce temps plein de félonie,
d'envie et de trahison,
d'injustice et de méfaits,
sans vertu ni courtoisie,
où nous, les barons,
faisons empirer le siècle
où je vois excommunier
ceux qui ont le plus raison,
je veux dire une chanson.

Le royaume de Syrie
nous dit et crie hautement,
par Dieu, de ne pas y aller
si nous ne nous amendons :
nous n'y ferions que du mal.
Dieu aime cœur loyal et juste :
c'est de telles gens qu'il veut être aidé ;

Cil essauceront son non
Et conquerront sa meson.

Oncor aim melz toute voie
20 Demorer el saint païs
Que aler povre, chetis
La ou ja solaz n'avroie.
Phelipe, on doit Paradis
Conquerre par mesaise avoir,
25 Que vous n'i trouverez ja, voir,
Bon estre ne geu ne ris,
Que vous avïez apris.

Amors a coru en proie
Et si m'en maine tout pris
30 En l'ostel, ce m'est a vis,
Dont ja issir ne querroie,
S'il estoit a mon devis.
Dame, de qui Biautez fet hoir,
Je vous faz or bien a savoir :
35 Ja de prison n'istrai vis,
Ainz morrai loiaus amis.

Dame, moi couvient remaindre,
De vous ne me qier partir.
De vous amer et servir
40 Ne me soi onques jor faindre,
Si me vaut bien un morir
L'amors qui tant m'asaut souvent.
Adès vostre merci atent,
Que biens ne me puet venir,
45 Se n'est par vostre plesir.

Chançon, va moi dire Lorent
Qu'il se gart bien outreement
De grant folie envaïr,
Qu'en lui avroit faus mentir !

ceux-là exalteront son nom
et conquerront sa maison.

Pourtant mieux vaut encore
rester en son pays
que d'aller misérable
là où il n'est plaisir ni joie.
Philippe, on doit conquérir
paradis par des privations,
car vous ne trouverez pas là-bas
les aises, les jeux et les rires
dont vous aviez pris l'habitude.

Amour s'est lancé en chasse
et m'emmène prisonnier
en l'hôtel d'où, à dire vrai,
je ne chercherais jamais à sortir,
si j'en étais le maître.
Dame, reine de beauté,
je vous le fais savoir :
je ne sortirai pas vivant de prison,
mais je mourrai loyal ami.

Dame, force m'est de rester.
Je ne cherche pas à me séparer de vous :
jamais je n'ai su me refuser
à vous aimer et à vous servir,
et pourtant il m'est bien aussi cruel qu'une mort,
l'amour qui souvent m'assaille.
Toujours j'attends votre merci,
car nul bien ne peut m'arriver,
sinon s'il vous plaît ainsi.

Chanson, va-t'en dire pour moi à Lorent
qu'il se garde tout à fait
d'entreprendre grande folie,
car en elle il n'y aurait que mensonge.

Moniot d'Arras

DAME, AINS KE JE VOISE EN MA CONTREE

Dame, ains ke je voise en ma contree
Vous iert ma cançons dite et chantee.
S'ele vous agree,
Tost vous ert aprise,
5 Car mes fins cuers tant vous prise
K'aillors n'a pensee,
Bien le puis tesmoignier.
Autrement n'os a vous parler
Fors qu'en chantant : merchi vous quier.

10 Dame, en chantant vous iert demandee
Vostre amors ke j'ai tant desirree.
S'or ne m'est donee
Ou au mains pramise,
Jamais n'ert ens mon cuer mise
15 Joie ne trovee,
K'autre ke vous ne voil amer.
Je ne sai si loins aler
Ke vous puisse entr'oublïer.

Dame, lonc tans vos avrai celee
20 Ceste amor, mais or vos ert mostree.
Diex qui vous fist nee

Dame, avant que je n'aille en mon pays,
ma chanson vous sera dite et chantée.
Si elle vous convient,
on vous l'apprendra vite,
car mon cœur loyal vous estime tant
qu'il ne pense à rien d'autre,
je puis l'attester.
Je n'ose pas vous parler autrement
qu'en chantant : je vous demande grâce.

Dame, c'est en chantant que je solliciterai
votre amour que j'ai tant désiré.
Si maintenant il ne m'est pas donné
ou au moins promis,
jamais en mon cœur la joie
ne trouvera place,
car je ne veux pas aimer une autre que vous.
Je ne saurai partir si loin
que je puisse vous oublier.

Dame, longtemps je vous aurai caché
cet amour que je vais maintenant vous révéler.
Puisse Dieu qui vous créa

Mete en vous franchise,
Si ke l'amors ki m'atise
Soit ens vos doblee :
25 Lors ert ma dolors garie.
Ce m'ochist ke je ne vous voi
Plus sovent, douce amie.

Dame, proi vos ne soiés iree
De çou k'amie vos ai clamee,
30 Car la renomee
De vo vaillandise
Ke Diex en vous a asise
M'a fait que nomee
Vous ai ensi.
35 *Dame, de fin cuer*
Amee, merchi !

Dame, a droit porriés estre blasmee,
Se en vous n'estoit merchi trovee.
Ore iert esprovee
40 Vostre gentelise,
Car se l'amors ke j'ai quise
M'aviés refusee,
Saichiés ke pour vous morroie.
Dame, amer ne porroie
45 *Nule autre ke je voie.*

QUANT VOI LES PRÉS FLORIR ET BLANCHOIER

Quant voi les prés florir et blanchoier,
Ke se painent oisellon d'envoisier,
Adont me fait mon chant recomencier
Amors, dont n'ai talent ke me retraie,
5 *Car sans amor n'a nus joie veraie.*

Qui bien aime ne se doit esmaier
Pour grevance k'Amors saice envoier,

mettre en vous la générosité,
si bien que l'amour qui me brûle
soit en vous redoublé !
Alors ma douleur sera guérie.
Je meurs de ne pas vous voir
plus souvent, douce amie.

Dame, je vous prie de ne pas vous irriter
que je vous aie appelée mon amie,
car la renommée
de la valeur
que Dieu a mise en vous
a fait que je vous ai
ainsi nommée.
Dame, que j'aime de tout
mon cœur, pitié !

Dame, on pourrait à bon droit vous blâmer,
si en vous on ne trouvait grâce.
Maintenant on verra
si vous êtes généreuse,
car si vous me refusiez l'amour
que j'ai sollicité,
sachez que par vous je mourrais.
Dame, je ne pourrais aimer
nulle autre femme.

Quand je vois les prés se couvrir de fleurs blanches
et que les oisillons se réjouissent à l'envi,
alors Amour, à qui je ne désire pas me soustraire,
me fait reprendre mon chant,
car sans amour il n'est pas de joie véritable.

Qui aime bien ne doit pas s'effrayer
de la peine qu'Amour peut lui envoyer,

Car a celui done double loier
Ki por li trait plus de maus et asaie,
10 *Car sans amor n'a nus joie veraie.*

De boine Amor ne puet nus empirier,
Ains em puet on en haute honor puier.
Por çou doivent tot estre en son dangier,
Car riens ne vaut ki vers lui ne s'essaie ;
15 *Car sans amor n'a nus joie veraie.*

Tot se doivent vers Amors apoier,
Bon et mauvais : li boin por adrechier,
Mauvais por çou k'Amors li fait laissier
Che qu'il quide dont on blasmer le doie ;
20 *Car sans amor ne puet nus avoir joie.*

PAR MAIN S'EST LEVEE

Par main s'est levee
La bele Maros
Ki sans amour n'est mie ;
Si s'en est alee
5 Toute seule au bos
Nus piés et deslacie.
Lors s'est escrïee :
« Mes amis mignos
Ki m'a en sa baillie
10 Deüst ore flours cuellir
Et .i. kapelet bastir
Pour mes biaus cheveus tenir,
S'en fusse plus jolie. »
Lors l'a coisi, s'est saillie.
15 « Bien veigniés, fait il, m'amie
Ke je tant desir
A tenir
Sous le raim. »
Mignotement la voi venir
20 *Cele ke j'aim.*

car il donne double récompense à celui
qui pour lui souffre et endure le plus de maux,
car sans amour il n'est pas de joie véritable.

Un loyal amour ne peut nuire à personne,
mais plutôt conduire aux plus hauts honneurs.
Aussi doit-on être tout entier à son service,
car on ne vaut rien si l'on n'en fait l'expérience,
car sans amour il n'est pas de joie véritable.

Tout le monde doit aspirer à l'amour,
les bons et les mauvais, les bons pour s'améliorer,
les mauvais parce qu'Amour leur fait renoncer
à ce qui peut être source de blâme,
car sans amour il n'est pas de joie véritable.

De bon matin s'est levée
la belle Marie
qui n'est pas sans amour,
et s'en est allée
toute seule au bois,
pieds nus, sans ceinture.
Lors s'est écriée :
« Mon bel ami,
qui m'a en son pouvoir,
devrait cueillir des fleurs
et me faire une couronne
pour tenir mes beaux cheveux :
j'en serais plus joyeuse. »
Lors il l'a vue, et elle s'est élancée :
« Bienvenue, dit-il, ma mie,
que je désire tant
retenir
sous la ramée. »
Toute gracieuse, là-bas, je vois venir
celle que j'aime.

Huon de Saint-Quentin

PAR DESOUS L'OMBRE D'UN BOIS

Par desous l'ombre d'un bois
Trovai pastoure a mon chois ;
Contre iver ert bien garnie
La tousete ot les crins blois.
5 Quant la vi sanz compaignie,
Mon chemin lais, vers li vois.
Aé !

La touse n'ot compaignon,
Fors son chien et son baston ;
10 Pour le froit en sa chapete
Se tapist les un buisson ;
En sa flehute regrete
Garinet et Robeçon.
Aé !

15 Quant la vi, soutainement
Vers li tor et si descent,
Se li dis : « Pastoure amie,
De bon cuer a vos me rent ;
Faisons de foille courtine,
20 S'amerons mignotement. »
Aé !

A l'ombre d'un bois,
je trouvais bergère à mon goût.
Contre l'hiver était bien vêtue
la fillette aux cheveux blonds.
Quand je la vis sans compagnie,
je laisse mon chemin et vers elle m'en vais.
Aé!

La fillette n'avait de compagnie
que son chien et son bâton.
Protégée du froid par sa cape,
elle était blottie derrière un buisson.
Sur sa flûte elle appelle
Garinet et Robichon.
Aé!

Quand je la vis, soudain
vers elle je me tourne et descends,
et je lui dis : « Bergère mon amie,
de bon cœur je me donne à vous,
du feuillage faisons un rideau
et de l'amour nous goûterons les charmes.
Aé!

« Sire, traiés vos en la,
Car tel plait oï je ja.
Ne sui pas abandounee
25 A chascun ki dist : “ Vien cha ! ”
Ja pour vo sele doree
Garinés riens n'i perdra. »
Aé !

« Pastourele, si t'est bel,
30 Dame seras d'un chastel.
Desfuble chape grisete,
S'afuble cest vair mantel ;
Si sambleras la rosete
Ki s'espanist de novel. »
35 *Aé !*

« Sire, ci a grant covent,
Mais molt est fole ki prent
D'ome estrange en tel maniere
Mantel vair ne garniment,
40 Se ne li fait sa proiere
Et ses boens ne li consent. »
Aé !

« Pastorele, en moie foi,
Pour çou que bele te voi,
45 Cointe dame noble et fiere,
Se tu vels, ferai de toi.
Laisse l'amour garçoniere,
Si te tien del tout a moi. »
Aé !

50 « Sire, or pais, je vos em pri,
N'ai pas le cuer si failli,
Que j'aim mieus povre deserte
Sous la foille od mon ami
Que dame en chambre coverte,
55 Si n'ait on cure de mi ! »
Aé !

— Seigneur, éloignez-vous de là,
car j'ai déjà entendu tel langage.
Je ne suis pas à la discrétion
de qui me dit : “ Viens par ici ! ”
Jamais pour votre selle dorée
Garinet n'y perdra rien.
Aé !

— Petite bergère, si tu veux,
tu seras dame d'un château.
Enlève cette cape grise
et mets ce manteau fourré :
tu ressembleras à la rose
fraîchement épanouie.
Aé !

— Seigneur, la belle promesse !
Mais il faut être folle pour prendre
ainsi d'un étranger
manteau fourré ou parure
sans agréer sa prière
ni faire son bon plaisir.
Aé !

— Petite bergère, par ma foi,
puisque je te trouve belle,
si tu le veux, je ferai de toi
une élégante et noble dame.
Laisse l'amour des valets
et ne t'intéresse qu'à moi.
Aé !

— Seigneur, la paix, je vous en prie !
Je n'ai pas le cœur si vil.
J'aime mieux humble récompense
sous la feuillée avec mon ami
qu'être dame en chambre close
sans que de moi on se soucie.
Aé ! »

Philippe de Nanteuil

EN CHANTANT VEIL MON DUEL FAIRE

En chantant veil mon duel faire,
Pour ma doleur conforter,
Du preu conte debonnaire
Qui seut los et pris porter,
5 De Monfort, qui en Surie
Iert venuz pour guerroier,
Dont France est moult mal baillie ;
Mais la guerre est toust faillie,
Car de son assault premier
10 Nel leissa Diex repairier.

Ha ! France, douce contree
Que touz seulent honnorer,
Voustre joie est atornee
De tout en tout en plorer.
15 Touz jours mès seroiz plus mue,
Trop vous est mesavenu !
Tel douleur est avenue
Qu'a la premiere venue
. . . .
20 Avez voz contes parduz.

Ha ! quens de Bar, quel soufreite
De vous li François avront !

Par une chanson, pour apaiser ma douleur,
je veux mener le deuil
du courageux et noble comte
que l'on avait coutume de louer et d'apprécier,
le comte de Montfort,
venu en Syrie pour faire la guerre,
ce qui a mis la France en fâcheuse posture ;
mais sa guerre s'est vite terminée,
car du premier engagement
Dieu ne l'a pas laissé revenir.

Ah ! France, douce contrée
que tous ont l'habitude d'honorer,
votre joie s'est changée
tout entière en pleurs.
Chaque jour vous affligera davantage,
si grand est votre malheur.
Une telle douleur vous a accablée
qu'à la première rencontre
. . . .
vous avez perdu vos comtes.

Ah ! comte de Bar, combien
vous ferez défaut aux Français !

Quant il savront la novelle
De vous, grant duel en feront.
25 Quant France est desheritee
De si hardi chevalier,
Maldite soit la journee
. . . .
Dont tant vaillant bachelier
30 Sont esclave et prisonnier !

Se l'Ospitaus et li Temple
Et li frere chevalier
Eüssent donné example
A noz gens de chevauchier,
35 Nostre grant chevalerie
Ne fust or pas en prison,
Ne li Sarrazin en vie ;
Mais ainsi nel firent mie,
Dont ce fut grant mesprison
40 Et semblant de traïson.

Chançons, qui fus compensee
De doleur et de pitié,
Va a Pitié, si li prie
Pour Dieu et pour amitié
45 Qu'aille en l'ost et si leur die
Et si leur face a savoir
Qu'il ne se recroient mie,
Mès metent force et aïe,
Qu'il puissent noz genz ravoir
50 Par bataille ou par avoir.

Quand ils sauront ce que vous êtes
devenu, ils en mèneront grand deuil.
Puisque la France est privée
d'un si hardi chevalier,
maudite soit la journée
. . . .
qui de tant de valeureux jeunes gens
a fait des esclaves et des prisonniers !

Si l'Hôpital et le Temple
et les frères chevaliers
avaient donné à nos soldats
l'exemple de chevaucher,
notre grande troupe de chevaliers
ne serait pas maintenant captive,
ni les Sarrasins vivants ;
mais ils n'agirent pas ainsi,
commettant un grand méfait
et peut-être même une trahison.

Chanson que j'ai faite
avec ma douleur et ma pitié,
va vers Pitié et supplie-la,
au nom de Dieu et de l'amitié,
d'aller à l'armée et de dire aux soldats
et de les informer
qu'ils ne doivent pas abandonner,
mais mettre en jeu leur force et leur aide
pour ravoir nos gens
par bataille ou par argent.

Robert de Memberoles

SIRE DEUS, EN TANTE GUISE

Sire Deus, en tante guise
M'avrait Amors demeneit,
C'ains ne mi trovait lasseit
N'aloigniet de son servise ;
5 Ne ja por nul atre afare
Riens tant ne mi poroit plare
Ke j'eüse atre panseit
Fors c'a ma dame et a Deu.

Sire Diex, tant ai requise
10 Celi ki tant m'a pené !
Verrai je ja averé
Que joie m'en soit pramise ?
Et si ne mi nuisent gaire
Fel losengier de mal aire,
15 Car j'ai si mon cuer celé
Que nus ne le set fors Dé.

Sire Deus, tant est esprise
De valour et de biateit
Tot est en li assanblei
20 Par pitiet et par franchise.
Mais ceu mi fait plus atrare
Ke lai ou pitiet reparet

Seigneur, Amour m'aura infligé
toutes sortes de traitements
sans que jamais il me trouve lassé
ni éloigné de son service ;
jamais aucune autre affaire
ni rien ne pourraient tant me plaire
que j'eusse d'autre pensée
qu'à ma Dame et à Dieu.

Seigneur, j'ai tant supplié
celle qui m'a tant tourmenté !
Verrai-je un jour se confirmer
la promesse de mon bonheur ?
Pourtant, les misérables flatteurs
ne me nuisent guère,
car j'ai si bien caché mes sentiments
que personne ne les connaît sauf Dieu.

Seigneur, elle est si bien illuminée
de valeur et de beauté
que toutes les qualités sont en elle assemblées
par la pitié et la générosité.
Mais ce qui m'attire le plus,
c'est qu'on devrait bien,

Dovroit bien estre troveit
Un poc de mersit, por Dei.

25 Sire Deus, en li ai mise
Esperance et volenteit,
Mult m'an doit savoir boin greit
A mon cuer ke tant la prise,
K'elle est si tres debonare
30 Ke nus ne poroit retrare
La grant debonaretei
De li fors moi et fors Dei.

là où habite la pitié,
obtenir quelque grâce, par Dieu.

Seigneur, j'ai mis en elle
mon espérance et mes désirs.
Elle doit en être reconnaissante
à mon cœur qui l'estime tant,
car elle est si noble
que personne ne pourrait décrire
la grande noblesse
qui est la sienne, sauf moi et Dieu.

Guiot de Dijon

CHANTERAI POR MON CORAGE

Chanterai por mon corage
Que je vueill reconforter,
Car avec mon grant damage
Ne quier morir n'afoler,
5 Quant de la terre sauvage
Ne voi nului retorner
Ou cil est qui m'assoage
Le cuer, quant j'en oi parler.
Dex, quant crieront Outree,
10 Sire, aidiés au pelerin
Por cui sui espoentee,
Car felon sunt Sarrazin.

Soferrai en tel estage
Tant quel voie rapasser.
15 Il est en pelerinage,
Dont Dex le lait retorner !
Et maugré tot mon lignage
Ne quier ochoison trover
D'autre face mariage ;
20 Folz est qui j'en oi parler !
Dex, quant crieront Outree,
Sire, aidiés au pelerin
Por cui sui espoentee,
Car felon sunt Sarrazin.

Je chanterai pour mon cœur
que je veux réconforter,
car, en dépit de ma grande misère,
je ne veux pas mourir ni périr,
bien que je ne voie revenir personne
de la terre sauvage
où se trouve celui qui apaise
mon cœur quand j'entends parler de lui.
    Dieu ! Quand ils crieront *En avant,*
    Seigneur, aidez le pèlerin
    pour qui je tremble,
    car cruels sont les Sarrasins.

Je souffrirai ce malheur
jusqu'à ce que je le voie retourner.
Il est en pèlerinage :
que Dieu lui permette d'en revenir !
Et, malgré tout mon lignage,
je ne cherche pas l'occasion
de faire un autre mariage ;
fol est qui j'en entends parler !
    Dieu ! Quand ils crieront *En avant,*
    Seigneur, aidez le pèlerin
    pour qui je tremble,
    car cruels sont les Sarrasins.

25 De ce sui au cuer dolente
Que cil n'est en Biauvoisis
Qui si sovent me tormente :
Or n'en ai ne gieu ne ris.
S'il est biaus, et je sui gente.
30 Sire Dex, por quel feïs ?
Quant l'uns a l'autre atalente,
Por coi nos as departis ?
Dex, quant crieront Outree,
Sire, aidiés au pelerin
35 Por cui sui espoentee,
Car felon sunt Sarrazin.

De ce sui en bone atente
Que je son homage pris,
Et quant la douce ore vente
40 Qui vient de cel douz païs
Ou cil est qui m'atalente,
Volentiers i tor mon vis :
Adont m'est vis que jel sente
Par desoz mon mantel gris.
45 Dex, quant crieront Outree,
Sire, aidiés au pelerin,
Por cui sui espoentee,
Car felon sunt Sarrazin.

De ce sui mout deceüe
50 Que ne fui au convoier ;
Sa chemise qu'ot vestue
M'envoia por embracier :
La nuit, quant s'amor m'argue,
La met delez moi couchier
55 Mout estroit a ma char nue
Por mes malz assoagier.
Dex, quant crieront Outree,
Sire, aidiés au pelerin
Por cui sui espoentee,
60 Car felon sunt Sarrazin.

Ce qui remplit mon cœur de douleur,
c'est qu'il n'est pas en Beauvaisis
celui qui si souvent me tourmente :
maintenant je n'en ai plus joie ni rire.
S'il est beau, moi je suis jolie.
Sire Dieu, pourquoi as-tu agi ainsi ?
Puisque l'un désire l'autre,
pourquoi nous avoir séparés ?
  Dieu ! Quand ils crieront *En avant,*
  Seigneur, aidez le pèlerin
  pour qui je tremble
  car cruels sont les Sarrasins.

Ce qui me donne confiance,
c'est l'hommage que j'ai reçu de lui ;
et quand souffle la douce brise
qui vient de ce doux pays
où se trouve celui que je désire,
volontiers j'y tourne mon visage :
alors je crois le sentir
par-dessous mon manteau gris.
  Dieu ! Quand ils crieront *En avant,*
  Seigneur, aidez le pèlerin
  pour qui je tremble,
  car cruels sont les Sarrasins.

Ce dont je me sens frustrée,
c'est de ne pas l'avoir escorté à son départ ;
il m'a envoyé, pour que je la prenne dans mes bras,
la tunique qu'il avait revêtue.
La nuit, quand son amour m'oppresse,
je la mets coucher près de moi,
tout contre ma chair nue,
pour adoucir mes maux.
  Dieu ! Quand ils crieront *En avant,*
  Seigneur, aidez le pèlerin
  pour qui je tremble
  car cruels sont les Sarrasins.

Thibaut d'Amiens

J'AI UN CUER TROP LET

J'ai un cuer trop let
Qui sovent mesfet
Et poi s'en esmaie ;
Et li tens s'en vet,
5 Et je n'ai rien fait
Ou grant fïance aie.
Asez ai musé
Et mon tens usé,
Dont j'atens grief paie,
10 Se par sa bonté
La flor de purté
Son fiz ne m'apaie.

Mes cuers est trop vains
Et vis et vilains
15 Et gais et volages.
Il n'est mie sains
Ainz est faus et fainz
Pleinz de granz utrages.
Il est hors de sens,
20 De povre pourpens,
De mauvais usages.

J'ai un cœur trop laid
qui souvent méfait
sans en être inquiet,
et le temps s'en va,
et je n'ai rien fait
qui me donne confiance.
J'ai trop musardé
et perdu mon temps :
j'en attends dur paiement,
si dans sa bonté
la fleur de pureté
n'apaise pour moi son fils.

Mon cœur est trop vain
et vil et vilain
et gai et volage.
Il n'est pas sain,
mais il est faux et fou,
tout rempli d'excès.
Il est insensé,
plein de pauvres pensées,
de mauvais usages.

Un chaitifs dolenz,
Pereçous et lenz
Oscurs et ombrages.

25 Il est fols a droit
Qui asez acroit
Et rien ne veut rendre ;
Sovent me deçoit,
Tels presenz reçoit
30 Qui le fait mesprendre.
Bien set en muser,
En rire, en juer,
Sa cure despendre,
Mes en bien plorer
35 Ne en ben orer
Ne set il entendre.

Il volt poi veiller
Et poi travailler
Et doute poverte.
40 Il volt poi proier
Et vol grand loier
Avoir sans deserte.
Il volt sanz semer
Asez meissoner,
45 C'est folie aperte.
Nus ne pot trover
Granz fruiz sanz ovrer
En tere deserte.

E, Deu, que ferai !
50 Coment finerai
Al jor de juïse ?
Coment conterai
Al juge verai
Al roi de justise ?
55 Nul consail n'i voi
Se ne m'en porvoi
Devant cele asise :
Qu'adonc prit por moi

Malheureux plaintif,
paresseux et lourd,
sombre et morne !

C'est être vraiment fou
que d'emprunter beaucoup
sans rien vouloir rendre.
Il me trompe souvent
et reçoit des présents
qui le fourvoient,
expert pour s'amuser,
pour rire et jouer,
pour perdre son temps,
mais il est incapable
de vraies larmes
et de vraies prières.

Il veut peu veiller
et prendre peu de peine,
et craint la pauvreté.
Il veut peu prier
et grandes récompenses avoir
sans les mériter.
Il veut sans semer
d'abondantes moissons :
c'est pure folie.
Personne ne peut sans travail
cueillir fruits nombreux
en terre déserte.

Dieu, que ferai-je ?
Comment paierai-je
au jour du Jugement ?
Comment expliquer
au juge véridique,
au roi de justice ?
Il n'est nul recours
si je n'obtiens pas
devant ce tribunal
que la mère du roi

La mere le roi
60 Par sa grant franchise.

A las, je coment
Par quel hardement
Requerai s'aïe,
Quant a escïent
65 Et malveisement
L'ai tant messervie ?
Je m'enhardirai
Et si li dirai :
« Tres douce Marie,
70 Jo m'amenderai
E vos servirai
Trestoute ma vie. »

Ma vie, m'amor,
Ma joie, m'onor,
75 Ma pais, ma lumere,
Qui de vrai secors
Fere as pecheors
Estes costumere,
Mon cuer mehaigné
80 Met a vostre pié,
Noble tresorere,
Faites le haitié,
Vos qui de pitié
Estes bouteillere.

85 Pucele reiaus,
Reïne leiaus,
Mere debonaire,
Precieus vaisseaus,
Esmerés cristaus
90 Pleins de seintuaire,
Temples aornez,
Tres enluminez
De grant luminaire,
M'ame confortez,

prie alors pour moi
dans sa grande bonté.

Hélas ! comment et
par quelle audace
réclamer son aide
quand sciemment
et mauvaisement
je l'ai si mal servie ?
Je m'enhardirai
et lui dirai :
« Très douce Marie,
je me corrigerai
et vous servirai
durant toute ma vie. »

Ma vie, mon amour,
ma joie, mon honneur,
ma paix, ma lumière,
vous qui aux pécheurs
avez coutume
d'apporter vrai secours,
à vos pieds je mets
mon cœur mutilé.
Noble trésorière,
rendez-lui la santé,
vous qui détenez
les clés de la pitié.

Vierge royale,
reine loyale,
généreuse mère,
vase précieux,
pur et fin cristal,
riche reliquaire,
temple somptueux
tout illuminé
de grande lumière,
réconfortez mon âme,

95 Duce qui portez
Le douz laituaire.

Cele de pigment
Que fet doucement
Le cuer sobre vivre,
100 Clef del oignement
Ki la morte gent
Pot faire revivre,
Grant est vostre odor
Et vostre duçor ;
105 Nus ne pot descrivre
Cum la vostre amor
Humble pecheors
Volontiers delivre.

Tres noble palmiers,
110 Tres douz oliviers
Pleinz de medicine,
Tres gentils rosers,
Et soefs eglentiers
Ki n'ad nule espine.
115 Delitous ciprès,
Que loins gete et prés
Odour si tres fine,
Purgez m'alme adés
Et la tenez prés
120 De vostre doctrine.

Arbre de haut fruit
Ke a nostre nuit
Aportastes joie
Mout a cil deduit
125 Et seür conduit
Ki a vous s'apoie.
Très sainte clartez
Qui les esguarez
Remenez en voie
130 Ne me trespassez,

douce Dame qui portez
le doux électuaire.

Cellier de l'élixir
qui fait doucement vivre
le cœur sans l'enivrer,
clef de l'onguent
qui peut ressusciter
le peuple des morts,
combien odorante
est votre douceur !
Nul ne peut décrire
comment votre amour
aisément délivre
les pauvres pécheurs.

Très noble palmier,
très doux olivier,
remède efficace,
très gracieux rosier
et doux églantier
sans aucune épine,
délicieux cyprès
qui répand partout
une si fine odeur,
purifiez mon âme
et maintenez-la
en votre doctrine.

Arbre au noble fruit
qui en notre nuit
apportâtes la joie,
on a grand plaisir
et sûre escorte
à s'appuyer sur vous.
Très sainte clarté
qui sur le chemin
remettez les égarés,
ne m'abandonnez pas.

Voir, j'av[e]roie asez
Si jo vos avoie.

Estoile de mer,
A mon quer amer
135 Ne seez amere.
Seigneur l'entamer
A vos bien amer
Bele douce mere.
Per Deu kar m'oez
140 Et si ne soiez
Vers moi si amere :
Clarté m'enveez
Et me raviez
Tres sage et tres chere.

Oui, j'aurais assez
si je vous avais.

Etoile de la mer,
à mon cœur endurci
ne soyez pas dure.
Daignez le pousser
à vous bien aimer,
belle et douce mère.
Par Dieu, écoutez-moi,
et ne soyez pas
envers moi si dure.
Envoyez-moi la lumière
et redressez ma route,
très chère et sage dame.

Guillaume le Vinier

AMOURS, VOSTRE SERS ET VOSTRE HOM

Amours, vostre sers et vostre hom
Ai tous jors esté sans mentir,
Sans aïe de vostre don
Que je tant covoit et desir.
5 Sovent me faites esbahir
Par vostre bon,
Mais moi samble selonc raison
Qu'en bien servir
Et en loiaument, sans traïr,
10 A deserte de guerredon.

S'il le vos samble autrement, non,
Amours, ne m'en quier aatir,
Car retenus sui au broion :
Entrés sui dont ne puis issir.
15 France riens, a vostre plaisir
Tous m'abandon
Et me met en vostre prison
Sans repentir.
Ausi sui pris, sans resortir,
20 Com la nasse prent le poisson.

Amour, j'ai toujours été
sans mentir votre humble vassal,
sans obtenir de vous le don
qui est l'objet de mes désirs.
Souvent vous me déconcertez
par votre volonté,
mais à moi il semble juste
que de fidèles,
de bons et loyaux services
méritent une récompense.

Si vous êtes d'un autre avis, non,
Amour, je ne veux pas protester,
car je suis retenu au piège
dont je ne peux plus ressortir.
Pour votre noblesse, à votre plaisir
je m'abandonne tout entier
et me mets en votre geôle
sans nul regret,
pris, sans pouvoir ressortir,
comme en la nasse le poisson.

Gentix chose, tant doucement
M'avés souspris et aresté
Par vostre bel acointement
Et par vo debonaireté
25 Et plus par vostre grand beauté
Qui mon cuer prent,
Ces .III. choses communalment
Qu'ai devisé
Covient c'aiés de vos osté,
30 Se volés qu'en tor mon talent.

Car partir n'em puis autrement
Mon cuer, saciés par verité.
Gens cors, vostre hom a vos se rent
Et fait hommage et seürté,
35 Comme hom a dame en ligeé
Par serement ;
Et vos devés par jugement
De vostre gré
Baisier vostre homme en feüté,
40 Ki ame et cuer et cors vos rent.

Bele, porrai je ja veoir
De vos .I. tout seul regarder
Dont mes cuers se puist percevoir
Que ce me doie conforter ?
45 Prametés me, veaus sans doner,
Pour decevoir
Mon cuer qui tant faites doloir
Et desirrer
Ce dont me covient consirrer,
50 Car ne vos en daigne caloir.

Si pris que ne me puis mouvoir,
Vos vieg tous vis merchi crier.
D'un tout seul regart de voloir
Porrés .I. pecheour salver.
55 Un poi vous devriés avaler
Pour miex valoir,

Noble créature, si doucement
vous m'avez conquis et gardé
par votre gracieux abord,
par votre générosité,
surtout par votre grande beauté
qui prend mon cœur,
que l'ensemble de ces qualités,
ici rappelées,
doivent en vous être abolies
si vous voulez que j'en détourne mes désirs.

Je ne puis autrement en détacher
mon cœur, c'est la vérité.
De votre grâce je deviens le vassal
par l'hommage de ma fidélité,
comme on devient homme lige
par serment ;
et vous devez de votre propre
initiative
donner un baiser à votre vassal
qui à vous se livre tout entier.

Belle dame, pourrai-je voir
de vous un seul regard
dont mon cœur puisse sentir
un peu de réconfort ?
Promettez-le, même sans l'accorder,
pour faire illusion
à mon cœur que vous faites tant souffrir
et désirer
ce qu'il vaudrait mieux refuser,
car vous ne daignez vous en soucier.

Captif à ne pouvoir bouger,
je viens de tout mon être crier grâce.
D'un seul regard bienveillant
vous pouvez sauver un pécheur.
Vous devriez y condescendre un peu
pour gagner en valeur,

Car biens c'on puet amentevoir
Ne deviser
Ne vous faut et, a droit conter,
60 Devroit avoec pitiés manoir.

car nul bien qu'on puisse rappeler
ou mentionner
ne vous manque, et à bon droit
pitié aussi devrait en être.

Colin Muset

HIDOUSEMENT VAIT LI MONS EMPIRANT

Hidousement vait li mons empirant
Et chascun jor se torne plux a mal,
Ke tuit sont mort li boen prince roiaul,
C'on ne voit maix nul riche home vaillant ;
5 Adés voit on le plux vaillant morir,
Et li mavaix demorent por faillir,
Et malvestiés les destrant si forment
K'il n'ont pooir de faire un bel semblant.

Deus ! com m'ont mort norrices et enfant
10 Et les dames, ki trop sont a cheval !
Mains boens hosteils nos ont chaiciés a mal
Et lor maris vancus outreement,
Si k'il n'osent un tout soul mot grondir.
A lors osteis le puet on bien veïr :
15 Aseis pueent faire comandement,
Maix folie est, c'on n'en fera noiant.

Deuz ! com est fols ki a feme se prant
Et ki en fait signor et menegaul :
Bien puet sovent traire malvaix jornal,
20 Ke jai nul jor n'en ferait son talent.
Por moi le di, c'onkes n'en pou joïr,

Le monde affreusement décline
et va chaque jour de mal en pis,
car sont morts tous bons princes de sang royal,
et on ne voit plus puissant de valeur.
Toujours on voit les plus vaillants mourir,
et restent les mauvais pour vous faire défaut,
et la méchanceté les accable si fort
qu'ils sont impuissants à vous faire bon accueil.

Dieu ! Comme m'ont ruiné nourrices et enfants
et les dames qui se donnent de grands airs !
Elles nous ont gâté nombre de bons châteaux
et réduit leurs maris à moins que rien,
qui n'osent plus souffler un seul mot.
En leurs hôtels on le peut bien voir :
ils auront beau donner commandements,
ce sera peine perdue, on n'en fera rien.

Dieu ! quelle folie de se lier à une femme
dont on fait son seigneur et son maître !
On passera plus d'une mauvaise journée,
car jamais on n'imposera sa volonté.
Pour moi jc lc dis qui n'en ai rien eu,

Et si ai mis tout mon tens a servir.
Maix des signors me mervoil je forment
K'i le souffrent, ke trop i ait torment.

25 Et des k'il sont ensi obeïssant,
Je lor ferai .j. si bel enseignal :
Des or mais gart uns chascuns son ostaul,
Pues k'il sont teil k'il ne pueent avant,
Et pancent bien de lors enfans norrir
30 Et d'espairgnier et des gens escharnir :
Ensi poront estre riche et menant,
Et pouc lor soit dou blame de la gent.

Droit a Choisuel vuil mon chemin tenir
Et a Soilli par Clermont resortir,
35 Si lor ferai de mon joel present,
Que trop m'est bel de lor amendement.

QUANT JE VOI YVER RETORNER

Quant je voi yver retorner,
Lors me voudroie sejorner.
Se je pooie oste trover
Large, qui ne vousist conter,
5 Qu'eüst porc et buef et monton,
Maslarz, faisanz et venoison,
Grasses gelines et chapons
Et bons fromages en glaon,

Et la dame fust autresi
10 Cortoise come li mariz
Et touz jors feïst mon plesir
Nuit et jor jusqu'au mien partir,
Et li hostes n'en fust jalous,
Ainz nos laissast sovent touz sous,
15 Ne seroie pas envious
De chevauchier toz bo[o]us
Après mauvais prince angoissoux.

bien que je n'aie fait que les servir.
Mais les maris, je suis fort étonné
qu'ils supportent ainsi d'être mis au supplice.

Du moment qu'ils sont si obéissants,
je leur donnerai un très bon conseil :
que désormais chacun reste chez soi,
puisqu'ils sont incapables de bouger,
et qu'ils s'occupent à élever leurs enfants,
à épargner, à se moquer du monde :
ainsi pourront-ils être riches et puissants,
et qu'ils fassent fi du blâme des gens !

Je veux aller tout droit à Choiseul
et par Clefmont me rendre à Sailly,
et je leur ferai présent de ce joyau,
car je suis content de leur générosité.

Quand je vois l'hiver revenir,
j'aimerais bien me reposer.
Si je pouvais trouver un hôte
généreux qui renonce à compter,
et qu'on eût porc, bœuf et mouton,
canards, faisans et venaison,
grasses gélines et chapons,
et bons fromages sur claies d'osier,

et que la dame eût tout autant
de courtoisie que le mari
et fît toujours mon bon plaisir
nuit et jour jusqu'à mon départ,
et que l'hôte n'en fût pas jaloux,
mais nous laissât souvent tout seuls,
je n'aurais pas du tout envie
de chevaucher couvert de boue
après méchant et violent prince.

EN MAI, QUANT LI ROSSIGNOLEZ

En mai, quant li rossignolez
Chante cler ou vert boissonet,
Lors m'estuet faire un flajolet,
Si le ferai d'un saucelet,
5 Qu'il m'estuet d'amors flajoler
Et chapelet de flor porter
Por moi deduire et deporter,
Qu'adès ne doit on pas muser.

L'autr'ier en mai, un matinet,
10 M'esveillerent li oiselet,
S'alai cuillir un saucelet,
Si en ai fait un flajolet ;
Mais nuns hons n'en puet flajoler,
S'il ne fait par tout a loer
15 En bel despendre et en amer
Sanz faintise et sanz guiler.

Gravier, cui je vi joliet,
Celui donrai mon chapelet.
De bel despendre s'entremet,
20 En lui nen a point de regret,
Et por ce li vuil je doner
Qu'il ainme bruit et hutiner
Et ainme de cuer sanz fauser ;
Ensi le covient il ovrer.

25 La damoisele au chief blondet
Me tient tot gay et cointelet ;
En tel joie le cuer me met
Qu'il ne me sovient de mon det.
Honiz soit qui por endeter
30 Laira bone vie a mener !
Adès les voit on eschaper,
A quel chief qu'il doie torner.

En mai, quand le rossignol
chante clair dans les verts buissons,
il me faut faire un flageolet
que je fais d'une branche de saule,
car il me faut d'amour chanter
et couronne de fleurs porter
pour me divertir et me distraire :
on ne doit pas toujours musarder.

L'autre jour, par un matin de mai,
m'éveillèrent les oisillons :
j'allais cueillir branche de saule
dont je fis un flageolet ;
mais personne n'en peut jouer,
s'il ne mérite partout louange
pour sa largesse et son amour
  loyal et sincère.

A Gravier, tout empli de gaieté,
je donnerai ma couronne.
Il se plaît à bien dépenser
sans jamais le regretter.
Je veux la lui donner
car il aime fête et joyeuse vie
et amour profond et sincère :
ainsi faut-il se comporter.

La demoiselle aux blonds cheveux
m'entretient dans la gaieté,
me met au cœur telle allégresse
que j'en oublie toutes mes dettes.
Honni qui, pour ne pas s'endetter,
renonce à mener joyeuse vie !
On les voit toujours s'en tirer,
peu importent les conséquences.

L'en m'apele Colin Muset,
S'ai maingié maint bon chaponnet,
35 Mainte haste, maint gastelet
En vergier et en praelet,
Et quant je puis hoste trover
Qui vuet acroire et bien preter,
Adonc me preng a sejorner
40 Selon la blondete au vis cler.

N'ai cure de roncin lasser
Après mauvais seignor troter :
S'il heent bien mon demander,
Et je, cent tanz, lor refuser.

SIRE CUENS, J'AI VIELÉ

Sire cuens, j'ai vielé
Devant vous en vostre ostel,
Si ne m'avez riens doné
Ne mes gages aquité :
5 C'est vilanie !
Foi que doi sainte Marie,
Ensi ne vous sieurré mie.
M'aumosniere est mal garnie
Et ma boursse mal farsie.

10 Sire cuens, car conmandez
De moi vostre volenté.
Sire, s'il vous vient a gré,
Un biau don car me donez
Par courtoisie !
15 Car talent ai, n'en doutez mie,
De raler a ma mesnie :
Quant g'i vois boursse desgarnie,
Ma fame ne me rit mie.

Ainz me dit : « Sire Engelé,
20 En quel terre avez esté,

L'on m'appelle Colin Muset,
et j'ai mangé maint bon chapon,
maint rôti et maint gâteau
dans les vergers et les prés.
Et quand je puis hôte trouver
qui accepte crédit et bon prêt,
alors je reste à séjourner
près de la blonde au clair visage.

Très peu pour moi d'épuiser mon cheval
à trotter après mauvais seigneur :
s'ils haïssent fort mes demandes,
je hais cent fois plus leurs refus.

Seigneur comte, j'ai viellé
devant vous en votre maison,
et vous ne m'avez rien donné
ni n'avez payé mes gages :
    c'est honteux !
Par ma foi en sainte Marie,
je ne vous suivrai donc plus.
Mon aumônière est mal garnie
et ma bourse peu rebondie.

Seigneur comte, commandez-moi
ce que vous voulez.
Seigneur, si c'est votre plaisir,
faites-moi donc un beau don
    par courtoisie !
Car je désire, n'en doutez pas,
  retourner chez moi :
si j'y reviens bourse dégarnie,
  ma femme ne me sourit guère.

Mais elle me dit : « Maître empoté,
en quelle terre avez-vous été

Qui n'avez riens conquesté ?
Trop vous estes deporté
Aval la ville.
Vez com vostre male plie !
25 Ele est bien de vent farsie !
Honiz soit qui a envie
D'estre en vostre compaignie ! »

Quant je vieng a mon ostel
Et ma fame a regardé
30 Derrier moi le sac enflé
Et je, qui sui bien paré
De robe grise,
Sachiez qu'ele a tost jus mise
La conoille, sanz faintise :
35 Ele me rit par franchise,
Ses deus braz au col me plie.

Ma fame va destrousser
Ma male sanz demorer ;
Mon garçon va abuvrer
40 Mon cheval et conreer ;
Ma pucele va tuer
Deus chapons pour deporter
A la jansse alie ;
Ma fille m'aporte un pigne
45 En sa main par cortoisie.
Lors sui de mon ostel sire
A mult grant joie sanz ire
Plus que nuls ne porroit dire.

pour ne rien rapporter ?
Vous avez fait la noce
    à travers la ville.
Voyez comme votre malle plie !
Elle est de vent bourrée.
Honni soit qui a envie
d'être en votre compagnie ! »

Quand je viens en ma maison
et que ma femme a remarqué
derrière moi le sac gonflé,
et que je suis bien habillé
    d'une robe fourrée,
sachez qu'elle a vite posé
sa quenouille, sans hésiter ;
elle me sourit de bon cœur
et me noue au cou ses deux bras.

Ma femme va déballer
ma malle sans perdre de temps ;
mon valet va abreuver
et panser mon cheval ;
ma servante, pour me fêter,
va tuer deux chapons
    saucés d'ail ;
ma fille m'apporte en personne
un peigne pour m'honorer.
Alors je suis maître chez moi
dans la joie et l'allégresse,
plus qu'on ne saurait le dire.

Garnier d'Arches

PIEÇA QUE JE NEN AMAI

Pieça que je nen amai,
Por ceu n'ai d'amor chanté,
Mais or aim, si chanterai,
K'ensi l'ai acostumé,
5 Ne senz amor ne chans mie.
Ma bone leials amie
M'a geté de mal dongier,
Si m'a fait recomencier
Une chançon *amorose.*

10 Douce dame, por vos ai
Cuer loial enamoré,
Plain d'amor fin et verai,
Tout espris et embrasé
D'une amorose baillie
15 Dont m'avez fait conpaignie
Sens partir et senz loignier,
Que ne m'en puis jostisier
De la grant joie *amorose.*

Dame devroit bien garder
20 Son ami de mal soffrir,
Car granz mals a endurer
Grieve pou moins de morir,

De longtemps je n'ai pas aimé ;
aussi n'ai-je pas chanté l'amour,
mais maintenant que j'aime, je chanterai,
car c'est mon habitude
de ne pas chanter sans amour.
Ma bonne et fidèle amie
m'a tiré de ma torpeur
et poussé à commencer
une chanson *d'amour*.

Douce dame, pour vous j'ai
le cœur plein d'un loyal amour,
d'un amour profond et vrai,
tout épris et embrasé
d'une force amoureuse
que vous m'avez communiquée
sans partage ni réserve,
car je ne puis m'en rendre maître
à cause de la grande joie *d'amour*.

Une dame devrait préserver
son ami de la souffrance,
car d'endurer de grands maux
n'est pas moins dur que mourir,

Et de trop longue atendance
Fait on tost aparcevance
25 Qu'on fait partir bone Amor
Et se torne en grant dolor
A nostre gent *amorose.*

Leals hom se doit pener
De son droit seignor servir
30 Et cil doit guerredoner
S'il a pooir del merir,
Car qui son prodome avance
Son preu fait et sa cressance
Et si doit avoir honor.
35 Or me gardez de dolor,
Franche riens et *amorose.*

Autresi com en la mer
Suelent les agues venir,
Assez en i puet entrer,
40 Mais pou en voit on reissir,
Ensi prent sa demorance
En moi et sa remanance
Fine Amors et son sejor
K'ainz ne pot trover meillor
45 Por faire l'uevre *amorose.*

Boens marchis, vostre vaillance
Crest chascun jor et avance,
Ceu tesmoignent li plusor.
Oevre de bone valor
50 Nos soit toz jors *amorose* !

et à trop longtemps attendre
on se rend vite compte
qu'on détruit l'amour sincère
et qu'on apporte la douleur
aux fidèles d'*Amour*.

Loyal vassal doit s'appliquer
à servir son suzerain,
et celui-ci, s'il le peut,
doit le récompenser ;
qui avantage son fidèle
assure son propre bonheur
et en retire de l'honneur.
Gardez-moi donc de la douleur,
noble dame *d'amour*.

Tout comme les eaux en la mer
doivent se jeter
et qu'il en entre beaucoup
dont peu ressortent,
ainsi loyal Amour en moi
s'établit à demeure
et trouve son séjour
sans en avoir de meilleur
pour faire le service *d'amour*.

Bon marquis, votre valeur
chaque jour croît et augmente,
comme en témoignent nombre de gens.
Puissent tous nos exploits
provenir *de l'amour* !

Philippe de Beaumanoir

FATRASIES

I

1 Li chan d'une raine
Saine une balaine
Ou fons de la mer,
Et une seraine
5 Si emportoit Saine
Deseur Saint Omer ;
Uns muiau i vint chanter
Sans mot dire a haute alaine.
Se ne fust Warnaviler,
10 Noié fuissent en le vaine
D'une teste de sengler.

II

1 Li piés d'un sueron
Feri un lyon
Si k'il le navra.
La moule d'un jon
5 A pris un limon
Ki s'en courecha ;
Mauvais laron le clama.

FATRASIES

I

Le chant d'une rainette
saigne une baleine
au fond de la mer,
et une sirène
emportait la Seine
au-dessus de Saint-Omer.
Un muet y vint chanter
sans mot dire à haute voix :
s'il n'y eût Warnaviler,
ils fussent noyés dans la veine
d'une tête de sanglier.

II

Le pied d'un ciron
frappa un lion
si bien qu'il le blessa.
La moelle d'un jonc
a pris un limon
qui s'en courrouça ;
il le proclama mauvais larron.

Es vous le bech d'un frion
Qui si bien les desmella
10 Que la pene d'un oison
Trestout Paris emporta.

III

1 Je vi toute mer
Sur tere assambler
Pour faire un tournoi,
Et pois a piler
5 Sur un chat monter
Firent nostre roi.
Atant vint je ne sai quoi
Qui Calais et Saint Omer
Prist et mist en un espoi,
10 Si les a fait reculer
Deseur le Mont Saint Elai.

IV

1 Uns grans herens sors
Eut assis Gisors
D'une part et d'autre,
Et dui homes mors
5 Vinrent a esfors
Portant une porte ;
Ne fust une vielle torte
Qui ala criant : « Ahors ! »
Li cris d'une quaille morte
10 Les eüst pris a esfors
Desous un capel de fautre.

V

1 Li cras d'un poulet
Menja au brouet

Voici le bec d'un verdier
qui les démêla si bien
que la plume d'un oison
emporta tout Paris.

III

Je vis toute la mer
s'assembler sur terre
pour faire un tournoi,
et des pois à piler
firent sur un chat
monter notre roi.
Alors vint je ne sais quoi
qui prit Calais et Saint-Omer
et les mit à la broche ;
ainsi les a-t-il fait reculer
sur le Mont-Saint-Eloi.

IV

Un grand hareng saur
avait assiégé Gisors
d'un côté et de l'autre,
et deux hommes morts
vinrent de toutes leurs forces,
portant une porte ;
sans une vieille tordue
qui alla criant « Dehors ! »,
le cri d'une caille morte
les eût rapidement pris
sous un chapeau de feutre.

V

Le gras d'un poulet
mangea au brouet

Pont et Verberie.
Li bes d'un coket
5 Emportoit sans plet
Toute Normendie.
Et une pume pourie,
Qui a feru d'un maillet
Paris et Romme et Surie,
10 Si en fist un gibelet ;
Nus n'en menjut qui ne rie.

VI

1 Uns des estourdis
Portoit Saint Denis
Parmi Mondidier,
Et une pertris
5 Traïnoit Paris
Deseur Saint Richier.
Es vous le piet d'un plouvier
Sur le clokier de Saint Lis,
Qui si haut prist a crier
10 Que il a tous estourdis
[L]es bourgois de Monpellier.

VII

1 Une grant vendoise
Entraïnoit Oise
Deseure un haut mont,
Et une viés moise
5 Deseure une toise
Emporta Hautmont.
Une espane de roönt
Quarante muis de blé poise
Sur le castel de Clermont,
10 Si c'une flestre jorroise
Ensöoula tout le mont.

Pont et Verberie.
Le bec d'un coquelet
emportait sans plaidoyer
toute la Normandie.
Et une pomme pourrie,
qui a frappé d'un maillet
Paris et Rome et la Syrie,
en fit ainsi une gibelotte :
nul n'en mange sans en rire.

VI

Un dé étourdi
portait Saint-Denis
en plein Montdidier,
et une perdrix
traînait Paris
sur Saint-Riquier.
Voici le pied d'un pluvier
sur le clocher de Senlis
qui si fort se mit à crier
qu'il a tout étourdi
les bourgeois de Montpellier.

VII

Une grande carpe
entraînait l'Oise
au-dessus d'un haut mont,
et une vieille caque
au-dessus d'une toise
emporta Hautmont.
Une mesure de guenille
pèse quarante muids de blé
sur le château de Clermont,
si bien qu'une vieille prune de Jouarre
soûla tout le monde.

VIII

1 Quatorze viés frains
Aporterent rains
Pour faire un estour
Encontre deus nains,
5 Qui eurent es mains
La bouce d'un four,
Si en eurent le millour,
Pour çou que carbons estains
Leur geterent tout entour,
10 Si k'il eurent ars les rains
Sur le pumel d'une tour.

IX

1 Li chiés d'une trelle
Par nuit se resvelle
Pour pestrir pastés,
Et une corneille
5 Prist une corbelle ;
Ce fu foletés,
Car dix-neuf vaissiaus d'és
Coururent a la mervelle ;
ja i eüst cox donnés,
10 Quant une chaloreille
D'un baston les a sevrés.

X

1 Une viés kemise
Eut s'entente mise
A savoir plaidier,
Et une cerise
5 S'est devant li mise
Pour li laidengier ;
Ne fust une viés cuillier
Qui s'alaine avoit reprise,

VIII

Quatorze vieux freins
apportèrent des rameaux
pour faire un tournoi
contre deux nains
qui eurent en mains
la bouche d'un four ;
ainsi en eurent-ils le meilleur
parce qu'ils leur jetèrent
tout autour des charbons éteints,
si bien qu'ils eurent les reins brûlés
sur le sommet d'une tour.

IX

La tête d'une treille
dans la nuit se réveille
pour pétrir des pâtés,
et une corneille
prit une corbeille :
ce fut une folie,
car dix-neuf ruches d'abeilles
coururent voir la merveille :
déjà on y eût donné des coups
quand une chaudière
d'un bâton les a séparés.

X

Une vieille chemise
s'était appliquée
à savoir plaider,
et une cerise
s'est devant elle mise
pour l'injurier.
S'il n'y eût une vieille cuiller
qui avait repris son souffle

S'i aportoit un vivier,
10 Toute l'iauwe de Tamise
Fust entree en un panier.

XI

1 Sornais et Ressons
Vinrent a Soissons
Prendre Boulenois,
Et troi mort taöns
5 Parmi trois flaöns
Mengierent François ;
Atant i vint Aucerrois
Acourant en deus poçons,
Si que Chaälons et Blois
10 S'enfuïrent dusk'a Mons
En Henau par Orelois.

et y apportait un vivier,
toute l'eau de la Tamise
fût entrée dans un panier.

XI

Sornette et Raison
vinrent à Soissons
prendre le Boulonnais,
et trois taons morts,
entre trois flans,
mangèrent les Français ;
alors survint l'Auxerrois
accourant en deux pochons,
si bien que Châlons et Blois
s'enfuirent jusqu'à Mons
en Hainaut par l'Orléanais.

Le Bétourné

OEZ COM JE SUI BESTORNEZ

Oez com je sui bestornez
Por joie d'Amors que je n'ai :
Entre sages sui fous clamez
Et entre les fous assez sai.
5 Onques ne fis que faire dui ;
Qant plus m'aïre, plus m'apai.

Je sui mananz et riens ne puis
Avoir ; mauvés sui et cortois ;
Je sui muëz por bien parler
10 Et sorz por clerement oïr,
Contraiz en lit por tost aler
Et coliers por toz tens gesir.

Je muir de faim qant sui saous,
Et de noient faire sui las ;
15 De ma prode feme sui cous,
Et en gastant lo mien amas.

Qant je cheval lez mon cheval,
De mon aler faz mon venir ;
Je n'ai ne maison ne ostal,
20 Si i porroit uns rois gesir.

Entendez comme je suis chamboulé
de ne pas connaître la joie d'amour ;
parmi les sages je passe pour fou
et parmi les fous je suis plutôt sensé.
Jamais je ne fis ce que je devais ;
plus je suis en colère, plus je suis calme.

Je suis riche sans pouvoir rien
avoir ; je suis méchant et courtois ;
je suis un muet qui parle bien
et un sourd qui entend net,
un perclus qui se déplace vite
et un portefaix toujours au lit.

Je meurs de faim quand je suis rassasié,
fatigué de ne rien faire ;
ma vertueuse femme me cocufie
et, à gaspiller mon bien, je l'entasse.

Je chevauche sans cheval,
de l'aller je fais le retour ;
sans maison ni hôtel,
je pourrais loger un roi.

Aigue m'enivre plus que vins,
Miel me fait boivre plus que seus ;
Prodom sui et lechierres fins,
Et si vos dirai briement quex :
25 Alemanz sui et Poitevins,
Ne l'un ne l'autre, ce set Diex.

La rotroange finera
Qui maintes foiz sera chantee ;
A la pucele s'en ira
30 Par cui Amors m'ont bestorné.
Se li plaist, si la chantera
Por moi qui la fis en esté.
Et Diex ! se ja se sentira
Mes cors de la soe bonté !

L'eau m'enivre plus que le vin,
le miel m'altère plus que le sel ;
honnête homme et franche canaille,
je vous dirai vite qui je suis :
un Allemand et un Poitevin,
ni l'un ni l'autre, Dieu le sait.

La rotrouenge se termine,
qui maintes fois sera chantée ;
elle s'en ira vers la jeunette
par qui Amour m'a chamboulé.
S'il lui plaît, elle la chantera
pour moi qui la fis en été.
Ainsi, par Dieu, ma personne
éprouvera sa bonté.

Le Comte de la Marche

TOUT AUTRESI COM LI RUBIZ

Tout autresi com li rubiz
Est de toutes pierres meillor,
Ausi estes vos, ce m'est vis,
Sor toutes dames mireor
5 Et de tot le mont la plus bele,
Car je·ne sai pas hui vostre pareille,
Tant i a biens que nes puis deviser.
Il n'est nus cuers qui les poïst penser.

Quant je remir vostre biau vis,
10 Qui m'est el cuer et nuit et jor,
Adonc m'est il tres bien avis
Que n'ai mestier d'autre labor,
Car trop forment je me merveille
De la color tant fresche et tant vermeille.
15 Quant je plus pens a voz biens raconter,
Et meuz i truis qui me fet conforter.

Douce dame, quant primes vos connui,
Trestout li cors et li cuers me trenbla.
Lors soi de voir et tres bien l'aperçui :
20 Ce fu amors qui ensi m'aluma,
Que nule chose autre ne me greva.
Et sachiez bien de voir, n'en doutez ja,

Tout comme le rubis
est de toutes les pierres la plus précieuse,
ainsi êtes-vous, à mon avis,
de toutes les femmes le modèle
et la plus belle au monde.
Car je ne connais pas aujourd'hui votre égale,
tant vous avez de qualités que je ne puis les exposer :
il n'est cœur qui les pourrait imaginer.

Quand je considère votre beau visage,
gravé en mon cœur jour et nuit,
alors je suis vraiment convaincu
de ne pas avoir besoin d'une autre tâche,
car je suis émerveillé
de votre teint si frais et si coloré.
Plus je pense à dénombrer vos qualités,
et plus je trouve des sujets de réconfort.

Douce dame, quand je vous vis pour la première fois,
mon corps et mon cœur furent agités de tremblements ;
j'eus alors la certitude et la preuve
que c'était l'amour qui m'embrasait,
car rien d'autre ne m'affecta.
Et soyez sûre et certaine

Que se defors ne vos faz conpaignie,
Gel faz el cuer, ce sachiez, sanz boisdie.

25 Or est ensi, dame, sachiez de fi,
Que ja mes cuers de vos ne partira,
Qu'il me senble qu'il ait tres bien choisi,
Et mout me plest quant a vos se dona.
Or, se Dex plest, tout adés s'i tendra,
30 Ne ja de vos servir ne recrerra,
Ainz ert toz jorz en vostre conpaignie,
Criant merci que ne li failliez mie.

He, mesdisanz, li cors Deu vos maudie,
Et je si faz de trestout mon pouoir.
35 Tant m'avez fet ennui et felonie
Qu'encor m'en dueil et bien m'en doi doloir.
Mes tant me fi en sa grant seignorie
Et el grant bien dont je la sai garnie,
Que ja vers moi ne fera vilanie
40 Ne vers autre, ce puet on bien savoir.

Quant vos requier ne en chantant vos prie,
Je sai de voir que faiz haute folie,
Car ge sai bien qu'a moi n'aferist mie ;
Mes tot franc cuer por proier s'umilie.

que, si de mon corps je ne vous tiens compagnie,
je le fais dans mon cœur sans tromperie.

Il en est ainsi, ma dame, sachez-le bien :
jamais mon cœur ne vous quittera,
car il me semble avoir fait un très bon choix,
et je suis heureux qu'à vous il se soit donné.
Maintenant, s'il plaît à Dieu, il vous sera fidèle,
jamais de vous servir il ne se lassera,
mais toujours il restera avec vous,
vous suppliant de ne pas lui faire défaut.

Ha ! médisants, que Dieu vous maudisse !
Et je le fais aussi de toutes mes forces.
Vous m'avez causé tant de cruels tourments
que j'en souffre encore à juste titre.
Mais j'ai une telle confiance en sa grandeur
et dans les qualités dont je la sais garnie
qu'elle ne commettra jamais de faute envers moi
ni autrui, c'est une certitude.

Quand je vous sollicite et prie par mes vers,
je sais bien que je commets grande folie,
car je reconnais que je n'en suis pas digne,
mais tout noble cœur cède à la prière.

Thibaut de Bar

DE NOS SEIGNEURS, QUE VOS EST IL AVIS

De nos seigneurs, que vos est il avis,
Conpains Erart ? Dites vostre samblance.
En nos parens et en toz nos amis,
Avom i nos nule bone esperance
5 Par coi soions hors du thyois païs
U nos n'avom joie, soulaz ne ris ?
Ou conte Othon ai mout grant atendance.

Dux de Braibant, je fui ja vostre amis
Tant con je fui en delivre poissance.
10 Se vos fussiez de rienz nule entrepris,
Vos eüssiez en moi mout grant fiance :
Por Dieu vos proi ne me soiez eschis.
Fortune fait maint prince et maint marchis,
Meillor de moi, avenir mescheance.

15 Bele mere, onkes rienz de vos mesfis
Par qu'eüsse vostre male vueillance.
Des celui jor que vostre fille pris
Vos ai servi loiaument des m'enfance.
Or sui por vos ici loiez et pris
20 Entre les mainz mes morteus anemis :
S'avez bon cuer, bien en prendrez venjance.

Sur nos seigneurs, quel est donc votre avis,
Ami Érart ? Dites votre sentiment.
En nos parents et en tous nos amis,
avons-nous quelque raison d'espérer
que nous serons tirés de l'Allemagne
où nous n'avons ni joie ni plaisir ?
Du comte Othon j'attends beaucoup.

Duc de Brabant, je fus jadis votre ami,
tant que j'ai été en liberté.
Si vous aviez eu des difficultés,
vous auriez pu compter sur moi.
Par Dieu, je vous prie de ne pas m'être hostile.
Fortune accable de malchance
maint prince et maint marquis meilleurs que moi.

Chère Mère, je n'ai jamais fait de mal
qui me valût votre animosité.
Depuis le jour que j'épousai votre fille,
je vous ai loyalement servie dès mon jeune âge.
Or me voici pour vous prisonnier
entre les mains de mes mortels ennemis ;
si vous avez du cœur, vous vous en vengerez.

Bons cuens d'Alos, se par vos sui hors mis
De la prison ou je suis en doutance,
Ou chascun jor me vient de mal en pis,
25 — Toz jors i sui de la mort en baance —,
Sachiez por voir, se vos m'estes aidis,
Vostres serai de bon cuer a toz dis,
Et mes pooirs, sanz nule retenance.

Chançon, va, di mon frere le marchis
30 Et mes homes ne me facent faillance,
Et si diras a ceus de mon païs
Que loiautez mainz preudomes avance.
Or verrai je qui sera mes amis
Et connoistrai trestoz mes anemis :
35 Encor avrai, se Dieu plaist, recovrance.

Bon comte de Loss, si c'est vous qui me libérez
de la prison où je vis dans la crainte,
où chaque jour je vais de mal en pis
— toujours je suis dans l'attente de la mort —
soyez certain que, si vous me secourez,
je serai à vous du fond du cœur à jamais,
ainsi que mes forces, sans nulle réserve.

Chanson, va, dis à mon frère le marquis
et à mes vassaux qu'ils ne me fassent pas défaut,
et tu diras à ceux de mon pays
que la loyauté profite aux gens de bien.
Je verrai maintenant qui sera mon ami
et reconnaîtrai tous mes ennemis :
j'en serai bientôt, s'il plaît à Dieu, délivré.

Rutebeuf

CI ENCOUMENCE LI DIZ DES RIBAUX DE GREIVE

Ribaut, or estes vos a point :
Li aubre despoillent lor branches
Et vos n'aveiz de robe point,
Si en avreiz froit a voz hanches.
5 Queil vos fussent or li porpoint
Et li seurquot forrei a manches !
Vos aleiz en estei si joint
Et en yver aleiz si cranche !
Votre soleir n'ont mestier d'oint :
10 Vos faites de vos talons planches.
Les noires mouches vos ont point,
Or vos repoinderont les blanches.

Explicit.

C'EST LA PAIZ DE RUTEBUEF

Mon boen ami, Dieus le mainteingne !
Mais raisons me montre et enseingne

LE DIT DES GUEUX DE GRÈVE

Gueux, vous voilà bien lotis !
Les arbres dépouillent leurs branches,
et vous n'avez pas de manteau ;
aussi aurez-vous froid aux reins.
Que vous seriez bien dans un pourpoint
ou un surcot à manches fourré !
Vous êtes si allègres en été
et en hiver si engourdis !
Vos souliers n'ont pas besoin de graisse,
car vos talons vous tiennent lieu de semelles.
Les mouches noires vous ont piqués,
les blanches elles aussi vous piqueront.

Fin.

LA PAIX DE RUTEBEUF

Mon bon ami, que Dieu le protège !
Mais le bon sens m'invite et m'exhorte

Qu'a Dieu fasse une teil priere :
S'il est moiens, que Dieus l'i tiengne !
5 Que, puis qu'en seignorie veingne,
G'i per honeur et bele chiere.
Moiens est de bele meniere
Et s'amors est ferme et entiere,
Et ceit bon grei qui le compeingne ;
10 Car com plus basse est la lumiere,
Mieus voit hon avant et arriere,
Et com plus hauce plus esloigne.

Quant li moiens devient granz sires,
Lors vient flaters et nait mesdires :
15 Qui plus en seit, plus a sa grace ;
Lors est perduz joers et rires,
Ses roiaumes devient empires
Et tuit ensuient une trace.
Li povre amis est en espace ;
20 S'il vient a cort, chacuns l'en chace
Par groz moz ou par vitupires.
Li flateres de pute estrace
Fait cui il vuet vuidier la place :
S'il vuet, li mieudres est li pires.

25 Riches hom qui flateour croit
Fait de legier plus tort que droit,
Et de legier faut a droiture
Quant de legier croit et mescroit :
Fos est qui sor s'amour acroit,
30 Et sages qui entour li dure.
Jamais jor ne metrai ma cure
En faire raison ne mesure,
Se n'est por Celui qui tot voit,
Car s'amours est ferme et seüre ;
35 Sages est qu'en li s'aseüre :
Tuit li autre sunt d'un endroit.

J'avoie un boen ami en France,
Or l'ai perdu par mescheance ;

à adresser à Dieu cette prière :
s'il est de condition moyenne, que Dieu l'y maintienne !
car, dès qu'il lui arrive de devenir seigneur,
j'y perds honneur et bon accueil.
L'homme de condition moyenne est délicat,
son amitié solide et durable,
sa compagnie agréable,
car plus la lumière est basse,
mieux elle éclaire autour d'elle,
mais plus elle est haute, plus elle s'éloigne.

[personnage,
Quand l'homme de condition moyenne devient un grand
les flatteries commencent à se répandre et les médisances à
plus on y est habile, plus on obtient ses faveurs. [circuler :
Finis les jeux et les rires.
Son royaume dégénère en empire,
et tous suivent le même chemin.
L'ami pauvre est tenu à l'écart ;
s'il s'aventure à la cour, chacun l'en chasse
par des injures et des reproches.
Le vil flatteur
fait vider la place à qui il entend :
à son gré, le meilleur devient le pire.

Le puissant qui croit les flatteurs
est facilement plus injuste que juste,
et manque facilement à la justice
puisqu'il accorde sa confiance aussi facilement qu'il la
C'est folie que de se fier à ses bons sentiments [refuse.
et prudence que d'être toujours à ses côtés.
Jamais de ma vie je ne m'appliquerai
à servir scrupuleusement qui que ce soit,
sinon Celui qui voit tout.
car Son amour est constant et solide.
C'est sagesse que de Lui faire confiance :
tous les autres se ressemblent.

J'avais en France un bon ami
que le malheur m'a fait perdre.

De totes pars Dieus me guerroie,
40 De totes pars pers je chevance :
Dieus le m'atort a penitance
Que par tanz cuit que pou i voie !
De sa veüe rait il joie
Ausi grant com je de la moie
45 Qui m'a meü teil mesestance !
Mais bien le sache et si le croie :
J'avrai asseiz ou que je soie,
Qui qu'en ait anui et pezance.

Explicit.

C'EST DE LA POVRETEI RUTEBUEF

Je ne sai par ou je coumance,
Tant ai de matyere abondance
Por parleir de ma povretei.
Por Dieu vos pri, frans rois de France,
5 Que me doneiz queilque chevance,
Si fereiz trop grant charitei.
J'ai vescu de l'autrui chatei
Que hon m'a creü et prestei :
Or me faut chacuns de creance,
10 C'om me seit povre et endetei ;
Vos raveiz hors dou reigne estei,
Ou toute avoie m'atendance.

Entre chier tens et ma mainie,
Qui n'est malade ne fainie,
15 Ne m'ont laissié deniers ne gages.
Gent truis d'escondire arainie
Et de doneir mal enseignie :
Dou sien gardeir est chacuns sages.
Mors me ra fait de granz damages ;
20 Et vos, boens rois (en deus voiages

De tous côtés Dieu me fait la guerre,
de tous côtés je perds ma subsistance.
Que Dieu veuille me compter comme pénitence
de devenir bientôt, à ce que je crois, presque aveugle !
Qu'avec sa vue il ait autant de joie
que moi avec la mienne,
l'homme qui m'a procuré une telle affliction !
Mais qu'il soit persuadé de cette vérité :
j'aurai toujours assez où que je sois,
et tant pis pour qui en concevra dépit ou regret.

Fin.

LA PAUVRETÉ DE RUTEBEUF

Je ne sais par où commencer,
tellement la matière est abondante
quand il est question de ma pauvreté.
Au nom de Dieu, je vous prie, noble roi de France,
de m'accorder quelque moyen de vivre ;
ce serait grande charité de votre part.
J'ai vécu du bien d'autrui
que l'on me prêtait à crédit :
maintenant personne ne me fait créance
car on me sait pauvre et endetté.
Quant à vous, vous étiez de nouveau loin du royaume,
vous en qui reposait toute mon espérance.

La cherté de la vie et l'entretien d'une famille
qui ne se laisse mourir ni abattre,
ont mis à plat mes finances et tari mes ressources.
Je rencontre des gens adroits à refuser
et peu enclins à donner ;
chacun s'entend à conserver son bien.
La mort de son côté s'est acharnée à me nuire,
ainsi que vous, bon roi (en deux expéditions

M'aveiz bone gent esloignie)
Et li lontainz pelerinages
De Tunes, qui est leuz sauvages,
Et la male gent renoïe.

25 Granz rois, s'il avient qu'a vos faille,
A touz ai ge failli sanz faille.
Vivres me faut et est failliz;
Nuns ne me tent, nuns ne me baille,
Je touz de froit, de fain baaille,
30 Dont je suis mors et maubailliz.
Je suis sanz coutes et sans liz,
N'a si povre jusqu'a Sanliz.
Sire, si ne sai quel part aille;
Mes costeiz connoit le pailliz,
35 Et liz de paille n'est pas liz,
Et en mon lit n'a fors la paille.

Sire, je vos fais a savoir
Je n'ai de quoi do pain avoir.
A Paris sui entre touz biens,
40 Et n'i a nul qui i soit miens.
Pou i voi et si i preig pou;
Il m'i souvient plus de saint Pou
Qu'il ne fait de nul autre apotre.
Bien sai *pater,* ne sai qu'est *notre,*
45 Que li chiers tenz m'a tot ostei,
Qu'il m'a si vuidié mon hostei
Que li *Credo* m'est deveeiz,
Et je n'ai plus que vos veeiz.

Explicit.

LA COMPLAINTE RUTEBEUF

Ne covient pas que vous raconte,
Comment je me sui mis a honte,

vous avez éloigné de moi les gens de bien)
ainsi que le lointain pèlerinage
de Tunisie, contrée sauvage,
ainsi que la maudite race des infidèles.

Grand roi, s'il m'arrive que vous vous dérobiez,
tous à coup sûr se déroberont.
Ma vie se dérobe, elle est finie.
Personne ne me tend la main, personne ne me donne rien.
Toussant de froid, bâillant de faim,
je suis à bout de ressources, dans la détresse.
Je n'ai ni couverture ni lit,
il n'est personne de si pauvre, cherchât-on jusqu'à Senlis.
Sire, je ne sais où aller.
Mes côtes ont l'habitude de la paille,
mais un lit de paille n'a rien d'un lit,
et dans mon lit il n'y a que de la paille.

Sire, je vous dis ici
que je n'ai de quoi me procurer du pain.
A Paris, je vis au milieu de toutes les richesses du monde,
et il n'y en pas une pour moi.
J'en vois bien peu et il m'en échoit bien peu.
Je me souviens plus de saint Peu
que d'aucun autre apôtre.
Je sais ce qu'est *Pater,* mais *Noster* m'est inconnu,
car la cherté du temps m'a tout ôté
en vidant si bien ma maison
que le *credo* m'est refusé ;
je n'ai que ce que vous pouvez voir sur moi.

Fin.

LA COMPLAINTE DE RUTEBEUF

Nul besoin de vous rappeler
la honte dont je me suis couvert,

Quar bien avez oï le conte
En quel maniere
5 Je pris ma fame darreniere,
Qui bele ne gente nen iere.
Lors nasqui paine
Qui dura plus d'une semaine,
Qu'el commença en lune plaine.
10 Or entendez,
Vous qui rime me demandez,
Comment je me sui amendez
De fame prendre.
Je n'ai qu'engagier ne que vendre,
15 Que j'ai tant eü a entendre
Et tant a fere
(Quanques j'ai fet est a refere)
Que, qui le vous voudroit retrere,
Il durroit trop.
20 Diex m'a fet compaignon a Job,
Qu'il m'a tolu a un seul cop
Quanques j'avoie.
De l'ueil destre, dont miex veoie,
Ne voi je pas aler la voie
25 Ne moi conduire.
A ci dolor dolente et dure,
Qu'a miedi m'est nuiz obscure
De celui œil.
Or n'ai je pas quanques je vueil,
30 Ainz sui dolenz et si me dueil
Parfondement,
C'or sui en grant afondement
Se par cels n'ai relevement
Qui jusqu'a ci
35 M'ont secoru, la lor merci.
Le cuer en ai triste et noirci
De cest mehaing,
Quar je n'i voi pas mon gaaing.
Or n'ai je pas quanques je haing :
40 C'est mes domages.
Ne sai se ç'a fet mes outrages ;
Or devendrai sobres et sages

car vous connaissez déjà l'histoire,
comment
j'épousai récemment ma femme,
qui n'était ni avenante ni belle.
De là vint le mal
qui dura plus d'une semaine,
car il débuta avec la pleine lune.
Ecoutez donc,
vous qui me demandez des vers,
quels avantages j'ai retirés
du mariage.
Je n'ai plus rien à mettre en gage ni à vendre :
il m'a fallu répondre à tant de besoins,
faire face à tant de difficultés
que tout ce que j'ai fait est encore à refaire
si bien que je renonce à tout vous raconter :
cela m'entraînerait trop loin.
Dieu a fait de moi le frère de Job,
en m'enlevant brutalement
tout ce que j'avais.
Avec mon œil droit qui était le meilleur,
je ne vois pas assez pour me guider
et me diriger.
Quel amer et pénible chagrin
que pour cet œil il fasse nuit noire
à midi !
Loin d'avoir tout ce que je pourrais souhaiter,
je continuerai de souffrir
et de me tourmenter
dans ma misère extrême,
si ne viennent me relever les gens
qui, jusqu'ici,
ont eu la bonté de me secourir.
J'ai le cœur attristé et assombri
d'être à ce point infirme,
car je n'y trouve pas mon bénéfice.
Maintenant je n'ai rien de ce que j'aime :
voilà mon malheur.
Je ne sais si mes excès en sont la cause ;
je jure de devenir sobre et mesuré

Aprés le fet
Et me garderai de forfet ;
45 Més ce que vaut quant c'est ja fet ?
Tart sui meüs,
A tart me sui aparceüs
Quant je sui ja es las cheüs
Cest premier an.
50 Me gart cil Diex en mon droit san
Qui por nous ot paine et ahan,
Et me gart l'ame !
Or a d'enfant geü ma fame ;
Mon cheval a brisié la jame
55 A une lice ;
Or veut de l'argent ma norrice,
Qui m'en destraint et me pelice
Por l'enfant pestre,
Ou il revendra brere en l'estre.
60 Cil Damediex qui le fist nestre
Li doinst chevance
Et li envoit sa soustenance
Et me doinst encore alejance
Qu'aidier li puisse,
65 Que la povretez ne me nuise
Et que miex son vivre li truise
Que je ne fais !
Se je m'esmai je n'en puis mais,
C'or n'ai ne dousaine ne fais,
70 En ma meson,
De busche por ceste seson.
Si esbahiz ne fu més hom
Com je sui, voir,
C'onques ne fui a mains d'avoir.
75 Mes ostes veut l'argent avoir
De son osté,
Et j'en ai presque tout osté,
Et si me sont nu li costé
Contre l'yver.
80 Cist mot me sont dur et diver,
Dont moult me sont changié li ver
Envers antan ;

(mais c'est après la faute !)
et je jure de ne plus recommencer ;
mais à quoi bon ? Tout est consommé.
J'ai mis du temps à changer,
j'ai trop mis de temps à me rendre compte
que j'étais déjà pris au piège
en cette première année.
Que Dieu qui souffrit pour nous peine et passion,
me conserve la raison
et sauve mon âme !
Voici que ma femme a mis au monde un enfant,
et que mon cheval s'est brisé une patte
contre une palissade ;
voici que la nourrice réclame ses gages,
m'écorchant peau et pelisse
pour nourrir l'enfant,
sinon il reviendra brailler dans la maison.
Que le Seigneur Dieu qui le fit naître
lui donne de quoi manger
et lui envoie sa subsistance,
et qu'Il soulage aussi ma peine,
afin que je puisse subvenir à ses besoins
et que la pauvreté ne m'interdise pas
de lui procurer son pain mieux
que je ne fais !
Rien que d'y penser, je ne puis m'empêcher de trembler,
car à cette heure je n'ai chez moi
ni tas ni fagot
de bûches pour cet hiver.
Jamais personne ne fut aussi accablé
que je le suis, de vrai,
car jamais je n'eus si peu d'argent.
Mon propriétaire veut que je lui paie
son loyer ;
j'ai presque entièrement vidé ma maison,
et je n'ai rien à me mettre sur le dos
pour cet hiver.
Mes chansons sont pleines de tristesse et d'amertume,
bien différentes de mes poèmes
de l'année passée.

Por poi n'afol quant g'i entan.
Ne m'estuet pas taner en tan,
85 Quar le resveil
Me tane assez quant je m'esveil ;
Si ne sai, se je dorm ou veil
Ou se je pens,
Quel part je penrai mon despens
90 Par quoi puisse passer le tens :
Tel siecle ai gié.
Mi gage sont tuit engagié,
Et de chiés moi desmanagié,
Car j'ai geü
95 Trois mois que nului n'ai veü.
Ma fame ra enfant eü,
C'un mois entier
Me ra geü sor le chantier.
Je me gisoie endementier
100 En l'autre lit,
Ou j'avoie pou de delit.
Onques més mains ne m'abelit
Gesir que lors,
Quar j'en sui de mon avoir fors
105 Et s'en sui mehaigniez du cors
Jusqu'au fenir.
Li mal ne sevent seul venir ;
Tout ce m'estoit a avenir,
S'est avenu.
110 Que sont mi ami devenu
Que j'avoie si pres tenu
Et tant amé ?
Je cuit qu'il sont trop cler semé ;
Il ne furent pas bien femé,
115 Si sont failli.
Itel ami m'ont mal bailli,
C'onques, tant com Diex m'assailli
En maint costé,
N'en vi un seul en mon osté.
120 Je cuit li vens les a osté,
L'amor est morte.
Ce sont ami que vens enporte,

Peu s'en faut que je ne délire quand j'y pense.
Inutile de chercher du tan pour me tanner
car les soucis du réveil
suffisent bien à me tanner.
Mais, que je dorme, que je veille ou que je réfléchisse,
je ne sais
où trouver des provisions
qui me permettent de passer les moments difficiles :
voilà la vie que je mène.
Mes gages sont tous engagés,
et ma maison déménagée
car je suis resté couché
trois mois sans voir personne.
Quant à ma femme qui a eu un enfant,
pendant tout un mois
elle fut à deux doigts de la mort.
Pendant tout ce temps, j'étais couché
dans l'autre lit
où je trouvais bien peu d'agrément.
Jamais, à rester au lit, je n'eus moins
de plaisir qu'alors,
car, de ce fait, je perds de l'argent
et je serai physiquement amoindri
jusqu'à mon dernier jour.
Comme un malheur n'arrive jamais seul,
tout ce qui pouvait m'arriver
m'est arrivé.
Que sont devenus mes amis
qui m'étaient si intimes
et si chers ?
Je crois qu'ils sont bien rares :
faute de les avoir entretenus,
je les ai perdus.
Ces amis m'ont maltraité
car jamais, tant que Dieu m'a assailli
de tous côtés,
je n'en vis un seul chez moi.
Je crois que le vent les a dispersés,
l'amitié est morte :
ce sont amis que vent emportc

Et il ventoit devant ma porte
Ses enporta,
125 C'onques nus ne m'en conforta
Ne du sien riens ne m'aporta.
Ice m'aprent
Qui auques a, privé le prent ;
Més cil trop a tart se repent
130 Qui trop a mis
De son avoir por fere amis,
Qu'il nes trueve entiers ne demis
A lui secorre.
Or lerai donc fortune corre
135 Si entendrai a moi rescorre
Se jel puis fere.
Vers mes preudommes m'estuet trere
Qui sont cortois et debonere
Et m'ont norri.
140 Mi autre ami sont tuit porri :
Je les envoi a mestre Orri
Et se li lais.
On en doit bien fere son lais
Et tel gent lessier en relais
145 Sanz reclamer,
Qu'il n'a en els rien a amer
Que l'en doie a amor clamer.
Or pri Celui
Qui trois parties fist de lui,
150 Qui refuser ne set nului
Qui le reclaime,
Qui l'aeure et seignor le claime,
Et qui cels tempte que il aime,
Qu'il m'a tempté,
155 Que il me doinst bone santé,
Que je face sa volenté
Tout sanz desroi.
Monseignor qui est filz de roi
Mon dit et ma complainte envoi,
160 Qu'il m'est mestiers,
Qu'il m'a aidié moult volentiers :
Ce est li bons quens de Poitiers

et il ventait devant ma porte ;
aussi furent-ils emportés
si bien que jamais personne ne me consola
ni ne m'apporta un peu de son bien.
Voici la leçon que j'en tire :
le peu qu'on a, un ami le prend,
tandis qu'on se repent trop tard
d'avoir dissipé
sa fortune pour se faire des amis,
car on ne les trouve pas décidés à vous aider
en tout ou en partie.
Maintenant je laisserai la Fortune tourner sa roue
et m'appliquerai à me tirer d'affaire
si je le puis.
Il me faut aller vers mes loyaux protecteurs
qui sont délicats et généreux
et qui m'ont déjà secouru.
Mes autres amis se sont gâtés :
je les envoie à la poubelle de Maître Orri
et les lui abandonne.
On doit renoncer à eux
et les abandonner
sans rien demander,
car il n'y a en eux rien que l'on puisse aimer,
rien que l'on doive appeler de l'amitié.
Aussi je prie Celui
qui s'est fait trinité
et ne sait dire non
à qui L'implore,
L'adore et L'appelle son seigneur,
et qui éprouve les gens qu'Il aime
(aussi m'a-t-Il soumis à la tentation)
afin qu'Il m'accorde une bonne santé
et que je fasse Sa volonté
sans faillir.
A mon seigneur qui est fils de roi,
j'envoie mon dit et ma complainte
car j'ai besoin de lui
qui m'a aidé de si bonne grâce :
c'est le bon comte de Poitiers

Et de Toulouse ;
Il savra bien que cil goulouse
165 Qui si fetement se doulouse.

Explicit la complainte Rustebuef.

et de Toulouse ;
il devinera bien ce qui peut être utile
à l'homme en proie à de telles douleurs.

Fin de *La Complainte de Rutebeuf.*

Moniot de Paris

LONC TENS AI MON TENS USÉ

Lonc tens ai mon tens usé
Et a folie musé,
Quant cele m'a refusé
Que j'ai tant amee.
5 Bien cuidai s'amor avoir
Par folie ou par savoir,
Mes el dit pour nul avoir
N'iert de moi privee.
Vadu, vadu, vadu, va !
10 *Bele, je vos aim pieça ;*
Vostre amor m'afolera,
S'el ne m'est donee.

Je ne sai que devenir,
Quant je ne puis avenir
15 A cele que tant desir :
Touz mes cuers i bee.
Languir m'estuet, ce m'est vis :
Sa bouchete, ses clers vis,
Si douz regart, si douz ris
20 M'ont la mort donee.
Vadu, vadu, vadu, va !
Bele, je vos aim pieça ;
Vostre amor m'afolera,
S'el ne m'est donee.

Longtemps j'ai passé et perdu
mon temps à des folies
puisque celle que j'ai tant aimée
    m'a repoussé.
Je comptais obtenir son amour,
que ce fût folie ou sagesse,
mais elle dit que pour rien au monde
    elle ne sera mon amie.
Vadu, vadu, vadu, va !
Belle, je vous aime depuis longtemps ;
votre amour me tuera,
    s'il ne m'est accordé.

Je ne sais que devenir,
puisque je ne puis obtenir
celle que tant je désire :
    tout mon cœur y aspire.
il me faut languir, je le crois :
sa petite bouche, son clair visage,
ses doux regards, ses doux rires
    m'ont donné la mort.
Vadu, vadu, vadu, va !
Belle, je vous aime depuis longtemps ;
votre amour me tuera,
    s'il ne m'est accordé.

25 Bele, que je n'os nonmer,
Se g'estoie outre la mer,
Si voudroie je amer
    Vous et vo faiture.
Je sui vostres sanz mentir,
30 Je ne m'en puis departir,
Et si m'avez fet sentir
    Mainte paine dure.
Vadu, vadu, vadu, va!
Bele, je vos aim pieça;
35 *Vostre amor m'afolera,*
    S'el ne m'est donee.

Douce amie, je reqier
Vostre amor, plus ne vous qier.
Mon cuer avez tout entier,
40   Douce criature,
Cors et avoir ensement.
Ci a bel eschangement :
Bien doit aler malement
    Qui de tel n'a cure.
45 *Vadu, vadu, vadu, va!*
Bele, je vos aim pieça;
Vostre amor m'afolera,
    S'el ne m'est donee.

Douce amïete plesant,
50 Je ne puis estre tesant,
Ainz sui je pour vous fesant
    Ceste vadurie.
Je sui mult pour vos bleciez :
Se vous morir mi lessiez,
55 Vostre ame, bien le sachiez,
    Seroit maubaillie.
Vadu, vadu, vadu, va!
Bele, je vos aim pieça;
Vostre amor m'afolera,
60   *S'el ne m'est donee.*

Belle que je n'ose nommer,
même si j'étais outre-mer,
je voudrais vous aimer,
  vous et votre personne.
Je suis à vous sans mentir,
je ne puis m'en détacher,
bien que vous m'ayez fait sentir
  mainte dure peine.
Vadu, vadu, vadu, va !
Belle, je vous aime depuis longtemps ;
votre amour me tuera,
  s'il ne m'est accordé.

Douce amie, je réclame
votre amour, et rien de plus.
Vous avez mon cœur tout entier,
  douce créature,
ainsi que mon corps et mes biens.
C'est un échange avantageux :
il est normal de perdre,
  à mépriser tel bien.
Vadu, vadu, vadu, va !
Je vous aime depuis longtemps ;
votre amour me tuera,
  s'il ne m'est donné.

Douce et plaisante amie,
je ne puis me taire,
mais je compose pour vous
  cette vadurie.
Je suis grièvement blessé :
si vous me laissiez mourir,
votre âme, c'est la vérité,
  serait en danger.
Vadu, vadu, vadu, va !
Belle, je vous aime depuis longtemps ;
votre amour me tuera,
  s'il ne m'est donné.

JE CHEVAUCHOIE L'AUTRIER

Je chevauchoie l'autrier
Seur la rive de Saingne.
Dame dejoste un vergier
Vi plus blanche que laine ;
5 Chançon prist a conmencier
Souef, a douce alaine.
Mult doucement li oï dire et noter :
« Honiz soit qui a vilain me fist doner !
J'aim mult melz un pou de joie a demener
10 *Que mil mars d'argent avoir et puis plorer.* »

Hautement la saluai
De Dieu le filz Marie.
El respondi sanz delai :
« Jhesus vous beneïe ! »
15 Mult doucement li priai
Qu'el devenist m'amie.
Tout errant me conmençoit a raconter
Comment ses maris la batoit pour amer.
« *J'aim mult melz un pou de joie a demener*
20 *Que mil mars d'argent avoir et puis plorer.* »

« Dame, estes vous de Paris ?
— Oïl, certes, biau sire :
Seur Grant-Pont maint mes maris,
Des mauvés touz li pire.
25 Or puet il estre marriz :
Jamés de moi n'iert sire !
Trop est fel et riotos, trop puet parler,
Car je m'en vueil avec vous aler joer.
J'aim mult un pou de joie a demener
30 *Que mil mars d'argent avoir et puis plorer.*

Mal ait qui me maria !
Tant en ait or li prestre :
A un vilain me dona,
Felon et de put estre ;

Je chevauchais l'autre jour
sur la rive de la Seine.
A côté d'un verger, je vis
dame plus blanche que laine ;
elle commença une chanson
doucement, à voix basse.
Tout bas je l'entendis dire et chanter :
« Honni soit celui qui me donna à un vilain !
J'aime mieux prendre un peu de bon temps
que d'avoir mille marcs d'argent et puis pleurer. »

A voix haute, je la saluais
par Dieu, le fils de Marie.
Elle répondit aussitôt :
« Jésus vous bénisse ! »
Tout doucement je la priais
de devenir mon amie.
Sur-le-champ elle commença à me raconter
comment son mari la battait parce qu'elle aimait.
« *J'aime mieux prendre un peu de bon temps*
que d'avoir mille marcs d'argent et puis pleurer. »

« Madame, êtes-vous de Paris ?
— Oui, cher Monsieur :
Sur le Grand-Pont habite mon mari
qui de tous est le pire.
Il peut bien s'affliger :
jamais il ne sera mon maître !
Trop cruel et querelleur, il aura beau parler :
je veux avec vous m'en aller jouer.
J'aime mieux prendre un peu de bon temps
que d'avoir mille marcs d'argent et puis pleurer.

Malheur à qui fit ce mariage !
Que le prêtre en ait autant :
il me donna à un vilain
pervers et méchant ;

35 Je croi bien que poior n'a
De ci jusqu'a Vincestre
Je ne pris tout son avoir pas mon soller,
Quant il me bat et ledenge pour amer.
J'aim mult melz un pou de joie a demener
40 *Que mil mars d'argent avoir et puis plorer.*

Enondieu ! je amerai
Et si serai amee,
Et si me renvoiserai
El bois soz la ramee,
45 Et mon mari maudirai
Et soir et matinee.
Dames de Paris, amez, lessiez ester
Voz maris et si venez o moi joer.
J'aim mult melz un pou de joie a demener
50 *Que mil mars d'argent avoir et puis plorer.* »

je crois bien qu'il n'en est de pire
d'ici à Winchester.
Toute sa richesse pour moi ne vaut pas un clou,
puisqu'il me bat et m'injurie parce que j'aime.
J'aime mieux prendre un peu de bon temps
que d'avoir mille marcs d'argent et puis pleurer.

Par le nom de Dieu, j'aimerai
et je serai aimée,
et je m'amuserai
au bois sous la ramée,
et mon mari maudirai
soir et matin.
Dames de Paris, aimez, laissez tomber
vos maris, et venez jouer avec moi.
J'aime mieux prendre un peu de bon temps
que d'avoir mille marcs d'argent et puis pleurer. »

Jean Bretel

ADAN, D'AMOUR VOUS DEMANT

Adan, d'amour vous demant
Que m'en dichiés sans cheler
Dou quel pueent plus trouver
En amour li fin amant,
5 Ou du bien ou du mal ; vous le devés
Mout bien savoir, car esprouvé l'avés.

— Sire, je voi l'un dolant,
L'autre lié de bien amer ;
Mais je ne m'en doi blasmer,
10 Car j'en go, et nepourquant,
Comment que faite en soit me volentés,
Li maus plus que li biens i est trouvés.

— Adan, a guise d'enfant
Me respondés, c'est tout cler.
15 On n'i puet tant endurer
De maus, che sevent aucquant,
C'uns tous seus biens n'estaigne les grietés
C'on a senti ; li biens pert plus assés.

— Sire, amans en soeffre tant
20 C'on en voit maint desperer ;
Trop chier voit on comperer

— Adam, sur l'amour je vous questionne :
dites-moi donc sans détour
ce que peuvent trouver le plus
en amour les vrais amants,
le bien ou le mal ; vous devez bien
le savoir, pour l'avoir éprouvé.

— Sire, je vois l'un affligé
et l'autre heureux de bien aimer ;
mais je ne dois pas protester,
car j'en jouis, et pourtant,
même si j'ai obtenu satisfaction,
on y trouve plus de mal que de bien.

— Adam, c'est réponse d'enfant
que vous me faites, oui, vraiment.
On n'y peut tant endurer
de maux, tout le monde le sait,
qu'un seul bien n'efface les rigueurs
qu'on a senties : le bien est plus important.

— Sire, l'amant souffre tant
qu'on en voit beaucoup au désespoir ;
on voit trop cher payer

Deduit et riqueche grant ;
Et d'autre part chascuns n'est pas amés
Qui a les biens d'amour chier comperés.

25 — Adam, tout li plus souffrant
Dou pis c'amours set donner
N'en veulent mie saner ;
Dont est il bien apparant
Que li biens est assés plus drus semés,
30 Car maus qui plaist ne doit estre contés.

— Sire, Amour trouvai quisant,
Quant je le soloie anter,
En villier, en desirrer,
En penser et en doutant ;
35 Mais point n'estes d'amour bien embrasés,
Pour chou n'i cuidiés point tant de durtés.

— Ferri, on trueve lisant
Que tant de mal n'a pas li condampnés
Con a de joie ichil qui est sauvés.

40 — Grieviler, en aquerant
Est chascuns plus traveilliés et penés
Qu'il ne soit au despendre reposés.

plaisir et opulence ;
et d'autre part chacun n'est pas aimé
pour avoir payé cher les biens d'amour.

— Adam, tous ceux qui souffrent
les pires maux de l'amour
n'en veulent pas guérir ;
d'où il est évident
que le bien pousse beaucoup plus dru,
car du mal qui plaît on ne doit tenir compte.

— Sire, à fréquenter l'Amour,
je l'ai trouvé douloureux :
que de veilles et de désirs,
de tourments et de craintes !
Le feu d'amour ne vous embrase point,
puisque vous ne croyez pas à ses rigueurs.

— Ferri, on trouve dans les livres
que le condamné n'a pas autant de peine
que n'a de joie celui qui est sauvé.

— Grieviler, pour acquérir
chacun souffre plus de tourments
qu'il n'a, à le dépenser, d'agréments.

Jean Érart

EL MOIS DE MAI PAR UN MATIN

El mois de mai par un matin
    S'est Marïon levee ;
En un boschet lez un jardin
    S'en est la bele entree.
5 Dui vallet, Guiot et Robin,
    Qui lonc tens l'ont amee,
Pour li voër delez le bois
    Alerent a celee.

Et Marïon qui s'esjoï
10   A Robin perceü,
Si dist ceste chançonete :
    « *Nus ne doit lez le bois aler*
        Sans sa conpaingnete. »

Robin et Guiot ont oï
15   Le son de la brunete.
Cil qui plus a le cuer joli
    Fet melz la paëlete.
Guiot mult tres grant joie ot
    Quant ot la chançonete ;
20 Pour Marïon sailli en piez,
    S'atempre sa musete.

Au mois de mai, un beau matin,
    Marion s'est levée ;
en un bosquet, près d'un jardin,
    la belle est entrée.
Deux garçons, Guiot et Robin,
    qui longtemps l'ont aimée,
pour la voir près du bois
    allèrent en secret.

Et Marion toute à sa joie
    aperçut Robin
et dit cette chansonnette :
  « *Nul ne doit près du bois aller*
    sans sa petite compagne. »

Robin et Guiot ont entendu
    le chant de la brunette.
Celui qui a le cœur le plus gai
    fait mieux le bouffon.
Guiot éprouva très grande joie
    à entendre la chansonnette.
Pour Marion il se lève d'un bond
    et accorde sa musette.

Robin mult tres bien oï l'ot,
Au plus tost que il onques pot
A dit en sa frestele :
25 « *Deu ! quel amer,*
Harou ! quel jouer
Fet a la pastorele ! »

Guiot a mult bien entendu
Ce que Robins frestele,
30 Si tres grant duel en a eü,
A pou qu'il ne chancele.
Mes li cuers li est revenu
Pour l'amor de la bele ;
Sa musele il a reposté,
35 S'escorce sa cotele.

Un petitet ala avant
Delez Marïon maintenant,
Si li a dit tout en esmai :
« *Hé, Marionnete !*
40 *Tant amee t'ai !* »

Marïon vit Guiot venir —
S'est autre part tornee,
Et quant Guiot la vit guenchir,
Si li dist sa pensee :
45 « Marïon, mains fez a prisier
Que fame qui soit nee,
Quant pour Robinet ce bergier
Es si asseüree. »

Quant Marïon s'oï blasmer,
50 Li cuers li conmence a trenbler,
Si li a dit sanz nul deport :
« *Sire vallet, vos avez tort*
Qui esveilliez le chien qui dort. »

Quant Guiot vit que Marïon
55 Fesoit si male chiere,
Avant sacha son chaperon,
Si est tornez arriere.

Quand Robin l'eut bien entendu,
le plus vite qu'il le put,
il joua sur sa flûte :
« *Mon Dieu ! quel amour,*
Haro ! quel jeu plaisant
avec la pastourelle ! »

Guiot a très bien entendu
ce que chante Robin,
il en est si affligé
que peu s'en faut qu'il ne chancelle.
Mais le cœur lui est revenu
pour l'amour de la belle ;
il range sa musette
et retrousse son manteau.

De quelques pas il s'avança
vers Marion tout aussitôt,
et lui dit désespéré :
« *Hé, petite Marion !*
Je t'ai tant aimée ! »

Marion, voyant venir Guiot,
a détourné la tête,
et quand Guiot vit qu'elle l'évitait,
il lui a dit sa pensée :
« Marion, tu es moins à priser
que femme au monde,
puisqu'à Robinet ce berger
tu es si fidèle. »

Quand Marion s'entendit blâmer,
son cœur commença à trembler,
et elle lui dit tout de go :
« *Pauvre valet, vous avez tort*
d'éveiller le chien qui dort. »

Quand Guiot vit que Marion
faisait si mauvais visage,
il arracha son chaperon
et s'en retourna.

Robin qui s'estoit enbuschiez
Souz une chasteigniere,
60 Pour Marïon sailli en piez
Si a fet chapiau d'ierre.

Marïon contre lui ala,
Et Robin deus foiz la besa,
Puis li a dit : « Suer Marïon,
65 *Vous avez mon cuer*
Et j'ai vostre amor en ma prison. »

Robin, qui s'était embusqué
dans une châtaigneraie,
pour Marion se leva d'un bond
et fit une couronne de lierre.

Marion alla à sa rencontre
et Robin deux fois la baisa,
puis il lui dit : « Marion ma sœur,
vous possédez mon cœur
et je retiens captif votre amour. »

Thomas Herier

BIEN ME SUI APERCEÜZ

Bien me sui aperceüz
Que felons m'ont trop grevé,
Si ne m'en doit blasmer nus
Se ges ai cueilliz en hé,
5 Q'il m'ont a cele mellez
A qui je me suis renduz.
Se je ne sui secoruz
De ma dame et de Verté,
Las, mar me vi onques né.

10 Ha, dame de grant biauté,
Ne sousfrez que soit perduz
Cil qui est en ligeé
Li vostres hons devenuz.
Si soie je chier tenuz
15 De vous, qu'ainz de fausseté
N'ouvrai, fors de loiauté.
Més maus est plus tost seüz
Que biens ne soit, cent tanz plus.

J'atent et sui atenduz
20 A vous qui m'avez fievé
De griez fais sanz metre jus ;
Chascun jour me sont doublé.

Je me suis rendu compte
que les traîtres m'ont accablé ;
personne ne doit donc me blâmer
si je les ai pris en haine,
car ils m'ont brouillé avec celle
à qui je me suis livré corps et âme.
Si je ne suis pas secouru
de ma dame et de la Vérité,
c'est pour mon malheur que je suis né.

Ha ! Dame de grande beauté,
ne souffrez pas la perte
de l'homme qui est devenu
votre parfait vassal.
Je mérite d'être aimé
de vous puisque sans fausseté
j'ai toujours été loyal.
Mais le mal se répand
cent fois plus vite que le bien.

Je mets toute mon espérance
en vous qui m'avez doté
sans trêve de lourds chagrins,
chaque jour redoublés.

Dex doint qu'en humilité
Soit voz durs cuers descenduz,
25 Que ja n'iert de vous remus
Li miens en tout mon aé.
Ensi l'ai dit et voé.

Vous m'ocïez tout de gré :
Dame, par vos m'est venuz
30 Cist maus que j'ai tant porté
Et ferai com loiax druz :
Se ges ai et ai eüz
Pour vous, tout soit pardoné,
Et s'ensi m'est destiné
35 Que de vous fusse reçuz,
Joie avroit mes maus vaincuz.

De granz maus et de menuz
Ai touz jorz a grant plenté.
Ma dame en est au desus :
40 Quant li plera, tout jeté
M'en avra ; mes j'ai douté
Que je ne soie deçuz
Par les felons mescreüz,
Qui maint mal ont porparlé
45 Par leur grant desloiauté.

Fasse Dieu que l'humilité
adoucisse votre dureté,
car jamais mon cœur du vôtre
ne se séparera ma vie durant,
je l'ai dit et juré !

Vous me tuez de votre plein gré :
Madame, vous êtes la cause
de ce mal que j'ai tant supporté
et supporterai en ami loyal ;
si je l'ai subi pour vous,
que le pardon en soit total,
et si mon destin voulait
que vous acceptiez mon amour,
la joie effacerait mes maux.

Des maux grands et petits j'ai
toujours en abondance :
Madame en est la souveraine.
Quand il lui plaira, j'en serai
délivré ; mais je crains
d'être abusé
par les cruels trompeurs
dont la grande déloyauté
a maint malheur tramé.

Adam de la Halle

GLORÏEUSE VIRGE MARIE

Glorïeuse virge Marie,
Puis que vos services m'est biaus
Et je vous ai encoragie,
Fais en sera uns cans nouviaus
5 De moi qui chant con cieus qui prie
De ses faus erremens aïe ;
Car cier comperrai mes aviaus
Quant de jugier sera fais li apiaus,
Se d'argumens n'estes pour moi garnie.

10 La n'ara nus talent qu'il rie
Ne s'asseürt, li jouvenciaus ;
K'inorance n'escuse mie
Les pekiés c'on fait es reviaus ;
Cascuns i moustrera sa vie.
15 Hé ! gentius dame assignourie,
Soiiés couvreture et mantiaus
De moi qui sui tant a mesfaire isniaus
Que j'ai par vanité m'ame engagie.

Douce dame, en glore essauchie,
20 De douchour fontaine et ruissiaus,
Roïne de roial lignie,
Bien vous doit souvenir de chiaus

Glorieuse vierge Marie,
puisque je me plais à vous servir
et que je vous aime du fond du cœur,
j'écrirai pour vous une chanson nouvelle
en pécheur qui réclame votre aide
pour ses folies et ses erreurs ;
car je paierai cher mes plaisirs
quand retentira l'appel du Jugement,
si vous n'êtes pour me défendre munie d'arguments.

Là-bas le jeune galant n'aura pas envie
de rire ni d'être sûr de lui,
car l'ignorance n'excuse pas
les péchés commis dans la jouissance :
chacun y montrera sa vie.
Ha ! noble dame souveraine,
soyez ma protection et mon manteau,
à moi qui suis si enclin à pécher
au point d'engager mon âme par vanité.

Douce Dame, de gloire rayonnante,
fontaine et source de douceur,
reine de lignée royale,
souvenez-vous de ceux

Dont vous devés estre servie,
Que l'anemis par trecerie
25 Ne soit d'iaus sire et damoisiaus ;
Qu'il a pluiseurs envenimés quarriaus,
Dont vostre gent pour traire a mort espie.

D'orguel a ja traite clergie
Et Jacobins de bons morsiaus,
30 Freres menus de gloutrenie,
Mais ciaus espargne de Cistiaus.
Moines, abbés a trais d'envie
Et chevaliers de reuberie ;
Prendre nous cuide par monchiaus ;
35 Encore a fait el li mauvais oisiaus ;
Car de luxure a toute gent plaiie.

Proiés vo douc fil qu'il ralie,
Comme boins paistres, ses aigniaus ;
Pour vous en fera grant partie,
40 Car de lui fustes nes vaissiaus.
De ciaus qui vous ont corechie,
Qui dolant sont de leur folie
Doit estre vostres li fardiaus :
Or leur soiés fremetés et castiaus
45 Quant l'anemis fait sour eus s'envaïe.

AMOURS M'ONT SI DOUCEMENT

Amours m'ont si doucement
Navré que nul mal ne sent,
Si servirai bonnement
Amours et men douc ami, a cui me rent.
5 Et fas de men cors present,
Ne ja mais por nul torment
Ke j'aie n'iere autrement,
Ains well user mon jouvent en amer loialment.

qui doivent vous servir,
afin que le démon par tromperie
ne devienne leur maître et seigneur,
car il a empoisonné force traits
dont il guette votre peuple pour le tuer.

Il a déjà frappé d'orgueil le clergé
et les jacobins de gourmandise,
les frères mineurs de gloutonnerie
en épargnant les cisterciens.
Il a frappé d'envie les moines et les abbés,
et de brigandage les chevaliers ;
il pense nous prendre en masse.
L'oiseau de proie a commis aussi un autre crime,
car de luxure il a infecté tout le monde.

Priez donc votre fils qu'il rassemble
en bon pasteur ses agneaux.
Pour vous il fera beaucoup
car pour lui vous fûtes le vase de pureté.
Ceux qui vous ont affligée
et qui se repentent de leur folie,
acceptez de les prendre en charge :
soyez donc leur forteresse et leur château
quand le diable lance contre eux son assaut.

Amour m'a si doucement
blessé que je ne sens nul mal ;
aussi servirai-je avec zèle
Amour et mon doux ami à qui je me rends
et fais de mon corps présent.
Et jamais aucun tourment
ne me fera agir autrement,
mais je veux passer ma jeunesse à aimer loyalement.

Et si ne m'en caut comment
10 On m'aparaut laidement,
Puis que jou faic mon talent
Et je puis jesir sovent les son cors gent.
Je ne criem oré ne vent,
Mais bon se fait coiement
15 Deduire et si sagement
C'on n'en puist devant la gent parler vilainement.

Trop mesistes longement,
Amis, a moi priier ent :
Se vous m'amiés loialment,
20 Je vous amoie ensement et plus forment.
Mais fame au commencement
Se doit tenir fierement :
Pour chu, s'ele se deffent,
Ne doit laissier qui i tent de requerre asprement.

LI DOUS MAUS ME RENOUVIELE

Li dous maus me renouviele :
Avoec le printans
Doi je bien estre chantans
Pour si jolie noviele,
5 C'onkes mie pour plus biele
Ne plus sage ne millor
Ne senti mal ne dolor.
Or est ensi
Ke j'atendrai merchi.

10 Au desus de ma querelle
Ai esté deus ans,
Sans estre en dangier manans
De dame u de damoisiele.
Mais vair oeil, clere maissiele
15 Rians et vermeille entor

Et peu m'importent
les injures qu'on m'adresse,
puisque je fais ce qui me plaît
et peux souvent coucher près de son beau corps.
Je ne crains tempête ni vent,
mais il fait bon s'amuser
avec discrétion et sagesse
si bien qu'on ne puisse en dire du mal.

Vous avez mis trop de temps,
Ami, à m'en prier :
si vous m'aimiez vraiment,
je vous aimais de même, et plus fort encore.
Mais femme au début
doit montrer de la fierté :
aussi, si elle se défend,
son prétendant ne doit pas laisser de la prier instamment.

Mon doux mal me réveille :
avec le printemps
il est normal que je chante
une si joyeuse nouvelle,
car jamais pour femme plus belle
ni pour plus sage ni meilleure
je ne sentis mal ni douleur.
Or me voici
à attendre sa grâce.

Pendant deux ans j'ai été
maître de moi-même
sans dépendre en rien
de dame ou de demoiselle.
Mais des yeux vifs, de blanches joues
gaies et teintées de vermeil

M'ont cangiét cuer et coulor.
Or est ensi
Ke j'atendrai merchi.

Tant grate kievre en graviele
20 K'ele est mal gisans,
Si est il d'aucuns amans :
Tant jue on bien et reviele
Ke d'une seule estincele
Esprent en ardant amor.
25 Jou sui espris par cel tor.
Or est ensi
Que j'atendrai merchi.

Dous vis, maintiens de pucele,
Gens cors avenans,
30 Viers cui cuers durs c'ahymans
De joie œuvre et esquartele,
Mar fui a la fonteniele
U jou vos vi l'autre jor,
Car sans cuer fui u retor.
35 Or est ensi
Que j'atendrai merchi.

ONKES NUS HOM NE FU PRIS

Onkes nus hom ne fu pris
D'amours, qui n'en vausist miex
Et qui n'en fust plus jolis
Et miex venus en tous lius,
5 Car bone amours li fait plaire ;
Si est bien drois qu'il i paire,
Car toute hounours de li vient :
Faus est ki ne le maintient.

m'ont changé le cœur et le visage.
Or me voici
à attendre sa grâce.

Chèvre gratte tant le sable
qu'elle dort mal ;
ainsi en est-il des amants :
on joue et badine si bien
qu'une seule étincelle
vous enflamme d'amour ardent.
C'est ainsi que je suis épris.
Or me voici
à attendre sa grâce.

Doux visage, virginal maintien,
corps séduisant,
à vous voir cœur d'acier
éclate et s'ouvre à la joie.
Pour mon malheur j'allais à la fontaine
où je vous vis l'autre jour,
car je n'avais plus de cœur au retour.
Or me voici
à attendre sa grâce.

Jamais homme ne fut pris
par l'amour sans gagner en valeur
ni être plus enjoué
et plus agréable en tous lieux,
car le vrai amour rend plaisant,
et il est normal qu'on le voie,
car tout honneur vient de lui :
il faut être fou pour le nier.

Et puis ke jou m'i sui mis
10 Grant bonté m'en a fait Diex :
De la millour sui espris
Ki ains fust veüe d'ius.
Ne m'i sont mie contraire
Mi penser quant son viaire
15 Remir, car teus maus me tient
Ki en goie me sostient.

Car si vair oel de dous ris
Et ses gens cors signouriux
Et ses dous cuers bien apris,
20 Ki de nature est gentius,
Dounent cuer et essamplaire
De toute honour dire et faire ;
N'il n'aime point ki ne crient
Et ki de mal ne s'astient.

25 Dame, se de paradis
Et de vous estoie a kiex,
Pres me seroit vos dous vis
Ki a tort m'est ore eskieus.
G'i aroie mon repaire
30 Se c'estoit sans vous desplaire,
Ne ja ne m'amissiés nient,
Tant bien estre a vous avient.

Car a vous et a vos dis
Seroie si ententieus
35 Ke li mal dont jou languis
Seroient plus douc ke miex.
Las, et or ne sai u traire
Ne jou ne m'en puis retraire,
Car mes cors si las devient
40 Que percevoir s'en couvient.

Puisque j'y suis engagé,
Dieu m'a donné grande faveur ;
je suis épris de la meilleure
qu'on ait jamais pu voir.
Mes pensées ne me tourmentent pas
quand je contemple son visage,
car le mal qui me tient
me maintient dans la joie.

Ses yeux vifs et souriants,
son corps agréable et noble,
son cœur doux et courtois
qui par nature est généreux,
procurent courage et modèle
pour parler et agir selon l'honneur.
L'on n'aime pas sans craindre
ni s'abstenir du mal.

Dame, si entre le paradis
et vous j'avais à choisir,
je serais près de votre doux visage
dont maintenant je suis privé à tort.
J'y élirais domicile
si c'était sans vous déplaire,
même si vous ne m'aimiez pas,
tant il est bon d'être à vous.

Car à vous et à vos paroles
je prêterais tant d'attention
que les maux dont je languis
seraient plus doux que le miel.
Hélas ! je ne sais plus où aller
ni ne puis m'en retirer,
car mon corps devient si las
que tous s'en rendent compte.

PUIS KE JE SUI DE L'AMOUROUSE LOI

Puis ke je sui de l'amourouse loi,
Bien doi Amors en cantant essauchier ;
Encore i a milleur raison pour coi
Jou doi canter d'amoureus desirier :
5 Car sans manechier
Sui el cors trais et ferus
D'uns vairs ieux ses et agus
Rians pour miex assener —
A chou ne puet contrester
10 Haubers ne escus.

Je ne sui pas pour tel caup en esfroi
Ne ju n'en quier ja mais assouagier,
Car se li maus amenuisoit en moi
Il covenroit l'amour amenuisier,
15 Et au droit jugier
Amours est si com li fus :
Car de pres le sent on plus
C'on ne face a l'eskiver,
Et ki ne se weut bruller
20 Si se traie en sus.

Se jou wel dont a droit amer, je doi
Chou ki me fait embraser approchier,
Mais ke jou garde envers ma dame foi
Si com je faic, si me welle ele aidier.
25 Jel criem corechier,
Mais ains ne fu si repus
Vers moi ses cuers ne si mus
Tant m'oïsse refuser
Ke par sen douc resgarder
30 Ne me samlast jus.

C'est li raisons pour coi je ne recroi
De li anter et de merchi proiier :
Quant sa bouce m'en cace et jou le voi,
Au departir me couvient repairier

Puisque je suis un adepte de l'amour,
je dois donc l'exalter dans mes chansons ;
bien plus, une raison exceptionnelle
me contraint à chanter le désir amoureux :
en effet, à l'improviste,
j'ai été frappé au corps
par des yeux brillants et vifs,
riants pour mieux assener leur coup,
auxquels ne peuvent s'opposer
cuirasse ni bouclier.

Mais ce coup ne m'épouvante pas,
et je ne cherche pas à l'atténuer,
car si le mal diminuait en moi,
il faudrait que l'amour diminuât,
et, à bien juger,
l'amour est semblable au feu :
de près on le sent plus
qu'à s'en éloigner ;
si l'on ne veut pas se brûler,
il faut s'en écarter.

Si je veux donc vraiment aimer, je dois
m'approcher de la flamme qui me brûle,
pourvu que je sois fidèle à ma dame
comme maintenant, et qu'elle veuille m'aider.
Je crains de l'irriter,
mais jamais son cœur ne fut
envers moi si fermé et muet
que ses refus répétés,
grâce à son doux regard,
ne me semblassent jeu.

Voilà pourquoi je ne renonce pas
à la fréquenter et à la supplier :
quand sa bouche me chasse et que je la vois,
aussitôt parti il me faut revenir

35 [Dusc'a l'anuiier].
Et lues que je sui venus
Ele me dist : « Levés sus »,
Ains que jou puisse parler,
N'il ne me loist escuser,
40 Tant sui esperdus.

He ! flours del siecle u mes travaus emploi,
Amoureuse pour cuers esleëchier,
Boune dame sage et de maintien coi,
Essamples bons et biax pour castiier,
45 Assés decachier
Me poés : je sui vaincus
Et dou tout a vous rendus
Pour tel raençon douner
Ke vous sarés deviser,
50 Plus avant ke nus.

Or soit u non retenus
Mes cans, il l'estuet raler
La dont il mut au trouver :
Teus en est mes us.

OR EST BAIARS EN LA PASTURE

Or est Baiars en la pasture.
Hure !
Des deus piés defferrés,
Des deus piés defferrés.
5 Il porte souef l'ambleüre,
Hure !
Or est Baiars en la pasture,
Hure !

Avoir li ferai couverture,
10 Hure !

quitte à l'excéder.
Dès que je suis venu,
elle me dit : « Debout ! »
avant que je puisse parler.
Impossible de m'excuser,
tant je suis éperdu.

Ah ! Fleur du monde à qui je consacre mes peines,
reine d'amour qui réjouit les cœurs,
dame de bonté, sage et modeste,
très bel exemple pour corriger les âmes,
vous pouvez bien
me piétiner : je suis vaincu
et tout entier à vous
pour payer la rançon
que vous saurez fixer,
à vous plus que personne.

Que mon chant soit agréé
ou non, il lui faut aller
vers celle qui l'a inspiré :
telle est mon habitude.

Voici Bayard dans la pâture,
hure,
déferré des deux pieds,
déferré des deux pieds.
Il va doucement l'amble ;
hure !
Voici Bayard dans la pâture,
hure !

Je lui donnerai une couverture,
hure,

Au repairier des prés,
Au repairier des prés.
Or est Baiars en la pasture,
Hure!
15 *Des deus piés defferrés,*
Des deus piés defferrés.

DIEX SOIT EN CHESTE MAISON

Diex soit en cheste maison
Et bien et goie a fuison.

No sires Noeus
Nous envoie a ses amis;
5 Ch'est as amoureus
Et as courtois bien apris,
Pour avoir des pareisis
A Nohelison.
Diex soit en cheste maison
10 *Et bien et goie a fuison.*

Nos sires est teus
Qu'il prieroit a envis;
Mais as frans honteus
Nous a en son lieu tramis,
15 Qui sommes de ses nouris
Et si enfançon.
Diex soit en cheste maison
Et bien et goie a fuison.

au retour des prés.
Au retour des prés,
Voici Bayard dans la pâture,
hure !
déferré des deux pieds,
déferré des deux pieds.

Que Dieu soit en cette maison,
et le bien et la joie à foison !

Notre Seigneur Noël
nous envoie vers ses amis,
ce sont les amoureux
et les courtois raffinés,
pour avoir des parisis
au moment de Noël.
Que Dieu soit en cette maison,
et le bien et la joie à foison !

Notre Seigneur est tel
qu'il n'aime pas prier,
mais vers les nobles gens
il nous a à sa place envoyés,
nous qui sommes ses amis
et ses petits enfants.
Que Dieu soit en cette maison,
et le bien et la joie à foison !

J'OS BIEN A M'AMIE PARLER

J'os bien a m'amie parler
Les son mari,
Et baisier et acoler
D'encoste li ;
5 Et lui ort jalous clamer
Wihot aussi,
Et hors de sa maison enfremer,
Et tous mes bons de m'amiette achever,
Et li vilains faire muser.

10 Je n'os a m'amie aler
Pour son mari
Que il ne se peüst de mi
Garde doner.
Car je ne me puis garder
15 D'encoste li
De son bel viaire regarder.
Car entre amie et ami
An jeux sont a cheler
Li mal d'amer.

PREMIÈRE VOIX

J'ose parler à ma mie
devant son mari,
l'embrasser et l'enlacer
tout près de lui ;
et l'appeler, lui, sale jaloux,
et aussi cocu,
et lui fermer la porte au nez,
et jouir des faveurs de ma petite amie,
et faire marcher le vilain.

DEUXIÈME VOIX

Chez mon amie je n'ose aller,
car son mari,
j'ai peur que de moi il n'arrive
à se méfier.
Oui, je ne puis m'empêcher,
quand je suis près d'elle,
de regarder son beau visage.
Il faut que les deux amis
dans leurs jeux sachent cacher
les maux d'amour.

Jacques de Cambrai

OR M'EST BEL DOU TENS D'AVRI

Or m'est bel dou tens d'avri
Et de sa saixon,
Ke preit sont vert et flori,
Brullet et bouxon,
5 Et chantent li oxillons
Envoixiement.
Lors veul amerousement
Proier de cuer fin joli :
Ma dame et Amors merci.

10 Douls Deus, j'ai si bien choisi
Ke sens traïxon
Requerrai l'amor de li.
Dame de renom,
Vostre amis seux et vostre hom,
15 Bien et loiaulment.
Et quant plus air et espran,
Plus seux joious et si di :
Ma dame et Amors merci.

Tant ai ameit et joiit
20 La douce faisson
De son gent cors signorit,

J'aime le mois d'avril
et sa saison,
car les prés sont verts et fleuris,
comme les bosquets et les buissons,
et les oisillons chantent
avec joie et entrain.
Je veux donc avec amour
dire de tout mon cœur :
ma dame et Amour, pitié !

Doux Dieu, j'ai si bien choisi
que sans tromperie
je solliciterai son amour.
Dame renommée,
je suis votre ami et votre vassal
en toute loyauté.
Et plus je brûle et m'enflamme,
plus je suis joyeux et dis :
ma dame et Amour, pitié !

J'ai tant aimé et apprécié
le doux aspect
dc son gracieux et noble corps

C'a destructïon
M'ont mis losengier felon.
E, belle a cors gent!
25 Ameis moi, ou autrement
Morrai en chantant ensi :
Ma dame et Amors merci.

Loiauls Amors m'ont saixit
Et mis en prixon.
30 Lou cuer i lais et le cors;
S'ai bone okexon
D'ameir et a grant foixon
Amors ki m'esprent,
Et si debonairement
35 Com je puis requier et pri :
Ma dame et Amors merci.

Medixant fel et failli,
Malle paissïon
Vos puist ardoir, ke traït
40 M'aveis sens raixon!
Por ceu dist en sa chanson,
A definement,
Jaikes de Cambrai : « Comment
Puis dureir c'adés ne cri :
45 *Ma dame et Amors merci?* »

RETROWANGE NOVELLE

Retrowange novelle
Dirai et bonne et belle
De la virge pucelle
Ke meire est et ancelle
5 Celui ki de sa chair belle
Nos ait raicheteit,
Et ki trestout nos apelle
A sa grant clairteit.

que les traîtres médisants
ont causé ma ruine.
Ah ! belle au corps gracieux,
aimez-moi, sinon
je mourrai en chantant ainsi :
ma dame et Amour, pitié !

Un loyal amour m'a saisi
et jeté en prison.
J'en perds le cœur et le corps.
Aussi ai-je de bonnes raisons
d'aimer de toutes mes forces
amour qui m'embrase,
et avec autant de ferveur
que je peux, je prie et supplie :
ma dame et Amour, pitié !

Médisants perfides et faux,
que la fièvre puisse
vous brûler, car sans raison
vous m'avez trahi !
Aussi, en sa chanson,
pour la terminer,
Jacques de Cambrai dit : « Comment
puis-je me retenir de crier :
ma dame et Amour, pitié ? »

C'est une rotrouenge nouvelle,
bonne et belle, que je dirai
en l'honneur de la Vierge,
la mère et la servante
de Celui qui, de son précieux corps,
nous a rachetés
et qui nous appelle tous
à la grande clarté céleste.

Se nos dist Isaïe
10 En une profesie :
D'une verge delgie,
De Jessé espanie,
Istroit flors, per signorie,
De tres grant biaulteit.
15 Or est bien la profesie
Torneie a verteit.

Celle verge delgie
Est la virge Marie ;
La flor nos senefie,
20 De ceu ne douteis mie,
Jhesucrist ki la haichie
En la croix souffri,
Tout por randre ceaus en vie
Ki ierent peri.

IER MATINET, DELEIS UN VERT BOISSON

Ier matinet, deleis un vert boisson,
Trouvai touse soule sens compaignon ;
Jone la vi, de m'amor li fix don ;
Se li ai dit : « Damoiselle,
5 Simple et saige, bone et belle,
Dous cuers plains d'envoixeüre,
Per vostre bone aventure
Et per bone estrainne,
Je vos presente
10 M'amor et m'entente
Debonaire
Sens retraire.
Belle bouche
Douce
15 Por baixier,
Je vos servirai tous tens,

Isaïe nous le dit
dans une prophétie :
du rameau délicat
et verdoyant de Jessé,
sortirait une noble fleur
de très grande beauté.
Maintenant la prophétie
est bien réalisée.

Ce délicat rameau,
c'est la Vierge Marie ;
et la fleur symbolise,
n'en doutez pas,
Jésus-Christ qui souffrit
le supplice de la croix
pour rendre la vie
à ceux qui avaient péri.

Hier matin, à côté d'un buisson feuillu,
je trouvai une fillette sans son compagnon ;
la voyant jeune, je lui offris mon amour
en lui disant : « Demoiselle
simple et sage, bonne et belle,
doux cœur plein de gaieté,
par un heureux effet du hasard
et pour vous faire un cadeau,
je vous offre
mon amour et mon dévouement
sans arrière-pensée
ni hésitation.
Belle bouche
douce
à baiser,
je vous servirai toujours,

Cuers debonaires et frans
Et plaisans. »

La bergiere m'ait tantost respondut :
20 « Sire, vo don ne prix pais un festut.
Raleis vos en, ke pouc vos ait valut
Vostre longue triboudainne.
Une autre amor me demoinne ;
Je n'avroie de vos cure ;
25 Robins est en la pasture,
Cui je seux amie.
Aleis arriere.
Ke il ne vos fiere ;
C'est folie,
30 C'est musardie.
Cest outraje
N'ai je
Pas loeit.
Robins est fel et gringnus,
35 Se poreis estre ferus
Et batus. »

Quant j'ai veüt ke per mon biaul proier
Ne me porai de li muels acoentier,
Tout maintenant la getai sor l'erbier
40 En mi leu de la preelle ;
Se li levai la gonelle
Et aprés la foureüre
Contremont vers la senture,
Et elle c'escrie :
45 « Robin, aüe !
Cor pran ta messue. »
Je li proie
Ke soit coie,
Dont s'acoixe ;
50 Noxe
Ne fist plux,
Se menaimes nos solais
Sor l'erbete et sor les glais,
Brais a brais.

cœur généreux et noble
et agréable. »

La bergère aussitôt m'a répondu :
« Sire, votre don n'a aucune valeur à mes yeux.
Allez-vous-en, car vous n'avez rien gagné
par votre longue rengaine.
Un autre amour me possède ;
je ne me soucierais pas de vous ;
Robin est dans le pré,
et je suis son amie.
Repartez
ou il vous frappera ;
c'est folie,
c'est sottise.
Cette impertinence,
je ne l'ai
pas approuvée.
Robin est terrible et violent,
vous pourriez être frappé
et battu. »

Quand je vis que par mes belles prières
je ne pourrais pas l'amadouer,
aussitôt je la jetai sur l'herbe
au beau milieu du pré
et retroussai sa robe,
puis son jupon
jusqu'à la ceinture,
tandis qu'elle criait :
« Robin, à l'aide !
Prends vite ta massue. »
Je la priais
de se calmer,
elle s'apaisa donc
et ne fit plus
de bruit,
et nous prîmes notre plaisir
sur l'herbe et sur les joncs,
enlacés.

55 Riant, juant, somes andui assis
Leis le boisson ki iert vers et foillis.
Es vos Robin ki vint tous esmaris,
Traïnant sa massuete ;
Escrie a la bergerete :
60 « Di vai ! T'ait il atouchie
Ne fait poent de vilonnie ?
Je t'en vengeroie.
— Robin, ne doute,
C'ancor i seux toute ;
65 Ne t'esmaie,
Paie
Le jugleir
K'il m'ait apris a tumeir,
Et je li ai fait dancier
70 Et bailleir. »

Et dist Robins : « Onkes mal n'i pensai ;
Maix or me di : coment l'apellerai ? »
Je respondi ke Jaiket de Cambrai
M'apelle l'om, per saint Peire.
75 Lor ovrit sa panetiere,
Si m'offri de sa mainjaille,
D'un gros pain a tout la paille ;
Maix ne m'atalente :
Trop muels amaisse
80 C'a Marot juaixe,
Maix n'osoie.
Joie
Nos failli ;
Si prix congiet de Robin
85 Et Marot me fist enclin
De cuer fin.

Riant, jouant, tous deux nous sommes assis
à côté du buisson vert et feuillu.
Or voici que Robin arrive tout chagrin,
traînant sa massue,
et il demande à la bergère :
« Dis donc ! T'a-t-il touchée
ou manqué de respect ?
Je t'en vengerais.
— Robin, ne crains rien,
car je suis intacte ;
ne te tourmente pas,
paie
le jongleur
qui m'a appris à faire la culbute,
et je l'ai fait danser
et sauter. »

Robin de dire : « Je n'ai jamais eu de doute ;
mais dis-moi donc : comment l'appeler ? »
Je répondis que Jacques de Cambrai
était mon nom, par saint Pierre.
Alors il ouvrit sa panetière,
et m'offrit de sa mangeaille,
d'un pain grossier plein de paille ;
mais je n'en avais aucune envie :
j'aurais préféré
jouer avec Marote ;
mais je n'osais.
La joie
nous échappa ;
je pris congé de Robin,
et Marote me fit un salut
fort courtois.

Guillaume de Béthune

ON ME REPRENT D'AMOURS QUI ME MAISTRIE

On me reprent d'amours qui me maistrie,
S'est a grant tort qant aucuns me reprent,
Car ensi est que jou voel de ma vie
A bien amer metre l'entendement,
5 Et par vrai cuer canter d'ardant desir
De la sainte vierge dont pot issir
Une crape de cui vint l'abondance
Del vin qui fait l'arme serve estre france.

Cele vigne est la trés vierge Marie,
10 Si fu plantée es cieus souvrainement,
Car ele fu d'ame et de cuer ficie
A Dieu amer et servir humlement,
Et par çou pot au fil Dieu avenir,
Et il i vint conpaignie tenir;
15 Si print en li cors humain et sustance
Sans li metre de corompre en doutance.

C'est li crape, de la vigne nourrie,
Ki vin livra pour saner toute gent
De l'enferté dont li ame est perie
20 Qui n'a reçut de cel vin le present,
Mais ains se vaut par meürer furnir

On me reproche l'amour qui me domine,
mais c'est à tort qu'on m'adresse ces reproches,
car il se trouve que je veux toute ma vie
m'appliquer à bien aimer,
tout brûlant de chanter du fond du cœur
la sainte Vierge dont put sortir
une grappe de raisin d'où coula en abondance
le vin qui de la servitude affranchit l'âme.

Cette vigne, c'est la très sainte vierge Marie,
qui fut plantée au plus haut des cieux ;
elle fut cœur et âme attachée
à l'amour et à l'humble service de Dieu ;
aussi put-elle convenir au fils de Dieu
qui vint lui tenir compagnie
et prit en elle forme et substance humaines
sans qu'elle risquât d'être corrompue.

Cette grappe nourrie de la vigne
produisit le vin pour guérir les hommes
de l'infirmité mortelle aux âmes
qui n'ont pas reçu le don de ce vin.
Mais elle voulut croître et mûrir

Que se laissast de la vigne partir
U print roisins de si très grant vaillance
Ke d'enricir tous mendis ont poissance.

Cil douc roisin dont la crape est saisie
Sont li membre Jhesucrist proprement;
Et li crape est ses cors qu'a grief hatie
Fu traveilliés a l'estake en present;
Si trestous nus c'on le paut desvestir.
30 Fu tant batus k'il n'en remest d'entir
Le quarte part de sa digne car blance,
N'eüst de sanc u de plaie sanslance.

De la crape qui fu ensi froisie
Doit cascuns cuers avoir ramenbrement.
35 Et des roisins, faus est ki les oublie,
Car mis furent en presse estroitement
Entre le fer et le fust par ferir,
Si c'onques blés k'en molin puet qaïr
Ne fu pour maure en plus fort estraignance
40 Con li car Dieu fu pour no delivrance.

El presseoir ki la crois senefie
Fist Dieus de lui offrande entirement,
Si presenta a humaine lignie
Tel vin qui fait l'oume estre sauvement.
45 Qui il souvient de çou qu'il vaut souffrir,
Si voelle a Dieu son cuer et s'ame offrir;
Ensi boit on par foi et par creance
Cel vin dont Dius fait as vrais cuers pitance.

avant de se détacher de la vigne
où elle prit des raisins de si grand mérite
qu'ils peuvent tous les mendiants enrichir.

Ces raisins que la grappe s'est appropriés,
ce sont les membres de Jésus, à proprement parler ;
et la grappe, c'est son corps qui fut tourmenté
d'un douloureux supplice au poteau d'infamie ;
aussi nu qu'on le pût dévêtir,
il fut tellement battu qu'il ne resta d'intact
pas même le quart de sa vénérable chair
qui ne fût couvert de sang ou de plaies.

De la grappe ainsi broyée
chaque cœur doit se souvenir ;
quant aux raisins, il faut être fou pour les oublier,
car ils furent dans le pressoir étroitement serrés
par les coups entre le fer et le bois,
si bien que jamais blé au moulin
ne fut, pour être moulu, si fortement pressé
que la chair de Dieu pour notre délivrance.

Dans le pressoir qui est le symbole de la croix,
Dieu fit de lui-même sacrifice entier
et offrit à l'humanité
le vin même de son salut.
Que celui qui se rappelle ce qu'il voulut souffrir
veuille offrir à Dieu son cœur et son âme !
Ainsi boit-on par la foi et la croyance
ce vin dont Dieu fait la nourriture des cœurs
[sincères.

BIBLIOGRAPHIE GÉNÉRALE

Les indications bibliographiques ci-dessous ne renvoient qu'à des ouvrages généraux. Pour des bibliographies plus particulières, consulter les notices se rapportant à chacun des auteurs cités dans la présente anthologie.

I. TEXTES

1. *Anthologies :*

Les plus récentes sont les suivantes :

Emmanuèle BAUMGARTNER et Françoise FERRAND, *Poèmes d'amour des XIIe et XIIIe siècles,* U.G.E., 1983.

Pierre BEC, *La Lyrique française au Moyen Age (XIIe-XIIIe siècles),* t. 2, Picard, 1978.

Samuel N. ROSENBERG et H. TISCHLER, *Chanter m'estuet. Songs of the trouvères,* Londres-Boston, Faber Music Ltd, 1981.

Giuseppe TOJA, *Lirica cortese d'oïl, sec. XII-XIII,* Bologne, 2e éd., 1976.

Mais on peut aussi recourir à des ouvrages plus anciens :

Karl BARTSCH, *Chrestomathie de l'ancien français (VIIIe-XVe siècles),* Leipzig, 1871, 3e éd., 1875.

André CHASTEL et Jacques MONFRIN, *Trésors de la poésie médiévale,* Le Club français du livre, 1959.

Irénée CLUZEL et Jean MOUZAT, *La Poésie lyrique d'oïl : les origines et les premiers trouvères,* Nizet, 2e éd., 1969.

Carla CREMONESI, *La Lirica francese del Medio Evo,* Milan-Varese, 1955.

Albert HENRY, *Chrestomathie de la littérature en ancien français,* Berne, Francke, 6e éd., 1978.

Robert KANTERS, *Anthologie de la poésie française. Le Moyen Age,* 2 vol., Lausanne, Rencontre, 1966.

André MARY, *Anthologie poétique française. Moyen Age,* 2 vol., Garnier-Flammarion, nouv. éd., 1967.
Albert PAUPHILET, *Poètes et romanciers du Moyen Age,* Gallimard, Bibliothèque de la Pléiade, 1939, éd. revue et augmentée par Régine Pernoud et Albert-Marie Schmidt, 1952.

2. *Recueils :*

Karl BARTSCH, *Altfranzösische Romanzen und Pastourellen,* Leipzig, 1870.
Joseph BÉDIER et Pierre AUBRY, *Les Chansons de croisade,* Champion, 1909.
Tatiana FOTITCH et Ruth STEINER, *Les Lais du Roman de Tristan en prose,* Munich, Fink, 1974.
Frederich GENNRICH, *Rondeaux, Virelais und Balladen...,* I. Texte, Halle, 1921.
Edward JÄRNSTRÖM et Arthur LÅNGFORS, *Recueil de chansons pieuses du XIIIe siècle,* 2 vol., Helsinki, 1910-1927.
Alfred JEANROY, *Chansons, jeux-partis et refrains inédits du XIIIe siècle,* Toulouse, 1902.
Alfred JEANROY et Arthur LÅNGFORS, *Chansons satiriques et bachiques du XIIIe siècle,* Champion, nouvelle éd. 1965 (1re éd. 1921).
Arthur LÅNGFORS, *Recueil général des jeux-partis,* Société des textes d'ancien français, 1926.
Gaston RAYNAUD et Henri LAVOIX, *Recueil des motets français des XIIe et XIIIe siècles,* 2 vol., Champion, 1881-1883.
Jean-Claude RIVIÈRE, *Pastourelles,* 3 vol., Genève, Droz, 1974-1976.
H. SPANKE, *Eine altfranzösische Liedersammlung. Der anonyme Teil der Liederhandschriften,* Halle, 1925.
Walter STRENG-RENKONEN, *Les Estampies françaises,* Champion, 1930.
Nico Van den BOOGAARD, *Rondeaux et refrains du XIIe au début du XIVe siècle,* Klincksieck, 1969.
Michel ZINK, *Belle. Essai sur les chansons de toile suivi d'une édition et d'une traduction.* Transcriptions musicales de G. LE VOT, Champion, 1978.

3. *Manuscrits :*

Les plus importants pour la lyrique médiévale sont les suivants :
Manuscrit Arsenal 5198 (ms K)
Manuscrit Oxford, Douce 308 (ms I)
Manuscrits Paris, Bibliothèque nationale 844 (ms M), 845 (ms N), 846 (ms O), 20050 (ms U), 24406 (ms V).

II. ÉTUDES

Pierre BEC, *La Lyrique française au Moyen Age (XIIe-XIIIe siècles). Contribution à une typologie des genres poétiques médiévaux,* t. 1 : *Études,* Picard, 1977.

Reto-Roberto BEZZOLA, *Les Origines et la formation de la littérature courtoise en Occident,* Champion, 1944-1963, 4 vol.

Charles CAMPROUX, *Le Joy d'Amor des troubadours,* Montpellier, Causse et Castelnau, 1965.

Roger DRAGONETTI, *La Technique poétique des trouvères dans la chanson courtoise,* Bruges, De Tempel, 1960 ; *Le Gai Savoir dans la rhétorique courtoise, Flamenca et Joufroi de Poitiers,* Le Seuil, 1982 ; *La Musique et les Lettres. Études de littérature médiévale,* Genève, Droz, 1986.

Edmond FARAL, *Les Arts poétiques du XIIe et du XIIIe siècle. Recherches et documents sur la technique littéraire du Moyen Age,* Champion, dernière éd., 1962 (1re éd. 1925) ; *Les Jongleurs en France au Moyen Age,* Champion, 1910.

Jean FRAPPIER, *La Poésie lyrique française aux XIIe et XIIIe siècles. Les auteurs et les genres,* CDU, 1954 ; *Amour courtois et Table ronde,* Genève, Droz, 1973.

Robert GUIETTE, *D'une poésie formelle en France au Moyen Age,* Nizet, 1972 ; *Forme et senefiance,* Genève, Droz, 1978.

Jean-Charles HUCHET, *L'Amour discourtois,* Toulouse, Privat, 1987.

Hans Robert JAUSS, « Littérature médiévale et théorie des genres », dans *Poétique,* I, 1970, pp. 79-101.

Alfred JEANROY, *Les Origines de la poésie lyrique en France au Moyen Age. Etudes de littérature française et comparée,* Champion, 1889 ; 3e éd., 1925.

Georges LAVIS, *L'Expression de l'affectivité dans la poésie lyrique française du Moyen Age (XIIe-XIIIe siècles). Etude sémantique et stylistique du réseau lexical joie-dolor,* Les Belles Lettres, 1972.

Moshé LAZAR, *Amour courtois et fin'amors dans la littérature du XIIe siècle,* Klincksieck, 1964.

Rita LEJEUNE, *Littérature et société occitane au Moyen Age,* Liège, Marche romane, 1979.

Georges LOTE, *Histoire du vers français.* I. *Le Moyen Age,* tomes I-III, Hatier, 1949-1955.

René NELLI, *L'Erotique des troubadours,* Toulouse, Privat, 1963.

Holger PETERSEN DYGGVE, *Onomastique des trouvères,* Helsinki, 1934 ; *Trouvères et protecteurs des trouvères dans les cours seigneuriales de France,* dans *Annales Academiae Scientiarum Fennicae,* Helsinki, 1942 ; « Personnages historiques figurant dans la poésie lyrique des XIIe et XIIIe siècles », dans *Neuphilologische Mitteilungen,* du t. 36 au t. 46, 1935-1945.

Gaston RAYNAUD, *Bibliographie des chansonniers français des XIIIe et XIVe siècles*, 2 vol., Champion, 1884.
Henri REY-FLAUD, *La Névrose courtoise*, Navarin, 1983.
Robert SABATIER, *Histoire de la poésie française : 1. La Poésie du Moyen Age*, Albin Michel, 1975.
Nigel WILKINS, *The Lyric Art of Medieval France*, The New Press, 1988.
Giuseppe ZAGANELLI, *Aimer, Sofrir, Joïr*, Florence, La Nuova Italia, 1982.
Paul ZUMTHOR, *Histoire littéraire de la France médiévale, VIe-XIVe siècles*, PUF, 1954 ; *Langues et techniques poétiques à l'époque romane*, Klincksieck, 1963 ; *Essai de poétique médiévale*, Le Seuil, 1972.

NOTES

Poèmes anonymes

Page 42. *AUBE*

Il s'agit, dans l'aube, de la séparation, au point du jour, de deux amants qui ont passé la nuit ensemble, et que le lever du soleil, annoncé à l'ordinaire par le cri du veilleur de nuit, avertit de se quitter. Ces trois personnages sont comme stéréotypés; leur présence est le trait caractéristique du genre. La pièce est remplie soit par les avertissements du second, soit par les plaintes, les regrets, les promesses qu'échangent les premiers. Peut-être l'origine la plus lointaine de l'aube est-elle un monologue, un de ces monologues de femme comme il y en avait tant, selon Alfred Jeanroy, au début de la poésie lyrique romane. L'aube amoureuse, avec ce personnage conventionnel du veilleur, a dû naître dans la société aristocratique de la Provence; elle a été transportée au nord, comme le donnent à penser certains refrains. Mais d'autres formes y existaient aussi, soit qu'elles y aient germé spontanément des mêmes éléments, soit qu'il n'y ait là qu'un reflet des formes provençales plus archaïques. C'est précisément de ces formes plus simples que nous avons conservé quelques spécimens qui nous permettent de remonter assez près de la poésie purement populaire.

Edition : Pierre Bec, *La Lyrique française au Moyen Age (XIIe-XIIIe siècles)* t. 2 : Textes, Picard, 1978, pp. 27-30.
Etude : Alfred Jeanroy, *Les Origines de la poésie lyrique en France au Moyen Age,* Champion, 1889, 3e éd., 1925, pp. 61-83.

Page 48. *CHANSON D'AMI*

Type primitif de la chanson de femme selon Pierre Bec, la chanson d'ami, populaire et archaïsante, dont on possède beaucoup d'exemples dans les poésies portugaise et allemande, met en scène une jeune fille qui, à l'ordinaire, se plaint de ne pas avoir ou de ne plus avoir d'ami. Ce monologue nostalgique est souvent une chanson de *délaissée* ou une chanson de *départie* (ou d'adieux) qui peut se confondre avec la chanson de croisade, comme l'est le texte que nous publions, « peut-être la plus dramatique de toutes les chansons de croisade : c'est un véritable " lamento ", et elle s'apparente au *planh* provençal, chant de deuil, complainte funèbre, " regret " d'un héros. Sa note originale est celle de l'âpre tristesse et de la colère ; ce fragment pathétique (*auquel il manque la première et les deux dernières strophes*) suffit à nous dévoiler toutes les souffrances humaines qui sont nées dans l'ombre des croisades » (Jean Frappier).

Edition : Alfred Jeanroy, *Les Origines de la poésie lyrique,* Champion, 1889 ; 2e éd., 1903, pp. 498-499.

Page 50. *CHANSON DE TOILE*

La chanson de toile, ou d'histoire, genre lyrico-narratif, « traditionnalisant et popularisant », selon Pierre Bec qui y a relevé des traits d'archéo-civilisation, le plus original de la lyrique médiévale, est en général une pièce assez courte, en strophes simples bâties sur une même assonance ou une même rime, relatant une histoire d'amour, souvent tragique. Chanson de femme liée à un travail féminin, chantée à l'origine par les seules femmes et relative à une jeune fille, la chanson de toile représente, pour une part, l'envers du chant courtois où un homme s'adresse à une dame à qui il voue un véritable culte.

Il ne reste de ce genre qu'une vingtaine de pièces, dont sept sont des farcissures lyriques intégrées dans des romans comme *Guillaume de Dole* et *Le Roman de la Violette,* et treize dans divers manuscrits (surtout le manuscrit U, Paris, Bibliothèque nationale 20050). Elles semblent antérieures à 1200, le genre est épuisé en 1250, bien qu'Audefroi le Bâtard ait essayé, dans le premier tiers du XIIIe siècle, de le renouveler en l'amplifiant, en l'adaptant au goût courtois du jour, en substituant les rimes aux assonances.

Editions : Jean Renart, *Le Roman de la Rose ou de Guillaume de Dole,* publié par Félix Lecoy, Champion, 1962 ; Michel Zink, *Les Chansons de toile,* Champion, 1977.

Etudes : R. Joly, « Les Chansons d'histoire » dans *Romanische Jahrbuch,* t. 12, 1961, pp. 55-66 ; Pierre Jonin, « Les types féminins dans les chansons de toile », dans *Romania,* t. 91, 1970, pp. 433-466 ; Paul Zumthor, « La Chanson de Bele Aiglentine », dans les *Mélanges Albert Henry,* Strasbourg, 1970, pp. 325-337.

Page 54. *RONDETS DE CAROLE*

La fonction de ce type poétique était, à l'origine, d'accompagner la danse, la *carole,* chaîne, ouverte ou fermée, de danseurs et de danseuses qui évoluaient au son des voix. De ces rondets qui étaient primitivement liés aux fêtes de mai, il ne reste que des fragments qui apparaissent dans des romans courtois (*Guillaume de Dole* de Jean Renart, *Le Roman de la Violette* de Gerbert de Montreuil, *Le Lai d'Aristote* d'Henri d'Andeli) ou dans des chansons, des motets où ils ont été enchâssés en guise de refrain.

Le rondet était sans doute la cellule élémentaire des chansons de danse : sa structure textuelle et musicale très simple et donc facile à retenir le rendait apte à une danse de plein air, pour une large part improvisée. « Sémantiquement, son contenu est on ne peut plus réduit et porte habituellement sur les variations d'une topique amoureuse très typisée » (Pierre Bec). Ces rondets pouvaient s'organiser en *chansons de carole,* formées de rondets enchaînés ; de là des cycles, comme les deux que nous traduisons à partir du roman de Jean Renart, *Bele Aeliz* ou *La jus.*

D'origine française, issu d'un courant à la fois liturgique et folklorique, le rondet est ainsi appelé parce qu'il s'agit d'une chanson destinée à la ronde, ou d'une poésie cyclique. Ce genre, senti comme archaïsant dès le XIIIe siècle, perdit son caractère chorégraphique pour devenir, avec Adam de la Halle et Guillaume de Machaut, le *rondeau* musical, polyphonique à deux, trois ou quatre voix, puis, aux XIVe-XVe siècles, le *rondel* uniquement poétique qui peut s'amplifier jusqu'à onze et treize vers (Charles d'Orléans, Christine de Pizan).

Editions : Fr. Gennrich, *Rondeaux, Virelais und Balladen,* 2 vol., Halle, 1921-1927 ; Jean Renart, *Le Roman de la Rose ou de Guillaume de Dole,* éd. par Félix Lecoy, Champion, 1962.

Etudes : Joseph Bédier, « Les Fêtes de mai et les commencements de la poésie lyrique du Moyen Age », dans *Revue des Deux Mondes,* 1896, pp. 146-172 ; Maurice Delbouille, « Sur les traces de " Bele Aëlis " », dans les *Mélanges Jean Boutière,* Liège, 1971, t. I, pp. 199-218 ; Pierre Bec, *La Lyrique française au Moyen Age (XIIe-XIIIe siècle),* Picard, 1977, t. I, pp. 220-228.

Page 60. *MOTET*

Ce genre appartient, selon Pierre Bec, au registre lyrico-musical. « A l'origine, il se compose de deux voix : une voix grave ou *tenor* (teneur), fragment de quelques notes tirées du chant grégorien, et une voix aiguë dont la mélodie, en opposition à l'*organum* de l'époque précédente, repose sur des paroles (des « mots ») et pour cette raison sans doute est appelée *motetus,* fr. *motet.* Ce terme désignera bientôt la pièce tout entière » (Pierre Bec). A l'origine ce texte était en latin ; mais, dès le début du XIIIe siècle, le *motetus* emploiera le français. Ce genre est fondé sur le contraste, à un triple point de vue linguistique (latin et français), prosodique (mètres et rimes divergent d'une voix à l'autre), sémantique (on passe d'un genre, ou d'un registre, à l'autre). Par rapport au grand chant courtois, le motet, qui concerne l'amie plutôt que la dame, utilise des vers hétérométriques, davantage d'adjectifs et d'exclamations. C'est une sorte de conservatoire textuel où se retrouvent tous les genres. Selon Nico van den Boogaard, le motet, né à Limoges, se serait développé parmi les intellectuels parisiens. On lira un motet d'Adam de la Halle, p. 308.

Edition : Gaston Raynaud, *Recueil de motets français des XIIe et XIIIe siècles,* publiés d'après les manuscrits, avec introduction, notes, variantes et glossaires, 2 vol., Champion, 1881-1883.
Etude : Pierre Bec, *La Lyrique française au Moyen Age (XIIe-XIIIe siècles),* Picard, 1977, t. I, pp. 214-220.

Page 62. « ESTOILETE, JE TE VOI »

Ce texte est tiré d'*Aucassin et Nicolette,* œuvre picarde d'un auteur anonyme du premier quart du XIIIe siècle. Œuvre unique par sa forme, puisque constituée par une alternance régulière de vingt et une parties en vers et de vingt parties en prose, de morceaux chantés et de morceaux récités. L'auteur la nomme *chantefable,* mot qu'il a sans doute forgé. Les parties en vers, laisses assonancées d'heptasyllabes à vers orphelins, ne peuvent être considérées comme de simples haltes lyriques, car elles contiennent trop d'éléments d'information nécessaires à la compréhension du texte. L'auteur intègre toutes sortes de motifs, épiques et courtois, dans une œuvre unique, tantôt pathétique, tantôt comique, fondée sur de subtils parallélismes, encadrements et entrelacements, dans un récit homogène, habilement construit en trois grands mouvements, de la séparation des amants à leur réunion, puis à la connaissance de leur amour et à leur mariage, le bonheur individuel finissant par trouver sa place dans la société.

Edition et étude : *Aucassin et Nicolette,* édition, traduction et préface par Jean Dufournet, 2e éd., Flammarion (GF), 1984 (1e éd. 1973).

Vers 1. Cette étoile, plus brillante que les autres, appelée aussi « la belle » ou la « grosse » étoile, est la planète Vénus des astronomes, l'astre d'amour, favorable aux amants et médiateur de leur union. On l'appelait même l'amante ou l'épouse de la lune. Voir Clovis Brunel, dans *Romania,* 1956, pp. 510-514.

Page 64. *CHANSON PIEUSE*

Ce registre, né en marge du lyrisme profane qu'il imite, ne possède pas d'autonomie à proprement parler. L'on peut regrouper sous ce nom des chansons à la Vierge (imitations de pièces latines, transpositions du chant courtois ou de la chanson de femme), des reprises de la chanson d'ami, où le Christ est l'Ami comme dans le texte que nous traduisons, des chansons de croisade.

Edition : Edward Järnström et Arthur Långfors, *Recueil de chansons pieuses du XIIIe siècle,* 2 vol., Helsingfors-Helsinki, 1910-1927.

Etude : Pierre Bec, *La Lyrique française au Moyen Age (XIIe-XIIIe siècles),* Picard, 1977, t. I, pp. 142-150.

Page 68. CHANSON PIEUSE EN FORME DE BALLETTE

La ballette est à l'origine une pièce chantée qui accompagnait une ronde dansée. Amplification du rondet de carole, c'est une chanson à refrain qui comporte plusieurs strophes. Dans la seconde moitié du XIIIe siècle, au mot de *ballette* s'est substitué celui de *ballade.*

Edition : Fr. Gennrich, *Rondeaux, Virelais und Balladen,* 2 vol., Halle, 1921-1927.
Etude : O. Ritter, *Die Geschichte der französischen Balladenformen,* Halle, 1914.

Page 74. « A DEFINEMENT D'ESTEIT »

Ce poème, dont le rythme rappelle les pastourelles, joue sur des rimes différentes dans chaque couplet qui reprend en son début le mot (ou l'idée) qui termine le couplet précédent.
Ce poème est proche de l'univers poétique et moral de Rutebeuf ; mais il est impossible de décider s'il est antérieur ou postérieur.

Edition : Alfred Jeanroy, *Les Origines de la poésie lyrique en France au Moyen Age,* Champion, 1889, pp. 507-509.

Page 78. « POVRE VEILLECE M'ASAUT »

Ici encore, beaucoup de diversité dans l'utilisation des rimes d'un couplet à l'autre ; d'autre part, le ton rappelle celui de certains poèmes de Rutebeuf.

Edition : Alfred Jeanroy, *Les Origines de la poésie lyrique en France au Moyen Age,* Champion, 1889, pp. 512-513.

Les grands poètes

Page 84. CHRÉTIEN DE TROYES

Si Chrétien de Troyes est surtout le plus grand romancier du Moyen Age (*Érec et Énide* en 1170, *Cligès* vers 1176, *Le Chevalier au lion (Yvain)* et *Le Chevalier de la charrette (Lancelot)* entre 1117 et 1181, *Le Conte du Graal (Perceval)* vers 1182), il fut aussi l'un des premiers trouvères et nous avons gardé de lui deux chansons courtoises dont l'authenticité est certaine. Sans doute pâlissent-elles en face de romans comme *Le Chevalier de la charrette* ou *Le Conte du Graal,* mais, comme l'a écrit Jean Frappier, « elles sont loin d'être sans intérêt, ne fût-ce que par leur importance historique et comme témoignage d'un talent naissant, car ce sont très vraisemblablement des œuvres de jeunesse ou des œuvres antérieures à la maturité de Chrétien ». Mort avant 1190, Chrétien fréquenta les cours de Champagne et de Flandre.

Editions : Kristian von Troyes, *Wörterbuch zu seinem sämtlichen werken,* éd. par Wendelin Foerster, Halle, 1914, pp. 205-209 ; Marie-Claire Zai, *Les Chansons courtoises de Chrétien de Troyes,* édition critique avec introduction, notes et commentaires, Berne et Francfort, 1974.
Etude : Jean Frappier, *Chrétien de Troyes,* 2e éd., Hatier, 1968 (1re éd. 1957).

D'AMORS, QUI M'A TOLU A MOI. Vers 28 : sur le *bevraje,* le philtre, qui entraîna l'amour fatal de Tristan et sur la légende, voir le livre d'Emmanuèle Baumgartner, *Tristan et Iseut,* PUF, 1987.

Page 88. GUIOT DE PROVINS

Guiot, qui n'est pas nécessairement né à Provins (aux alentours de 1150), a passé une partie de sa vie en Arles, au contact donc de la littérature méridionale. On attribue cinq chansons courtoises à ce poète qui fréquenta les cours de Geoffroy de Bretagne et de Marie de Champagne, lié aux destinées de grands seigneurs, à Montferrand en 1173, ensuite dans le Midi, à Mayence chez Frédéric Barberousse en 1184, en Palestine, au temps de la Troisième Croisade, dans l'entourage de Richard Cœur-de-Lion. Il appartient donc, avec Chrétien de Troyes, à la première génération des trouvères. Vers 1196, il entra à l'abbaye cistercienne de Clairvaux, dont il critiquera les excès dans sa *Bible,* et qu'il quitta au bout de quatre mois pour rejoindre Cluny.
Dans sa *Bible* (1205), « tableau moral du monde », qui passe en revue le monde laïc des princes (vers 1-554), puis celui des religieux (vers 555-2686), il fut peut-être le premier à rédiger en langue vulgaire, vers 1208, une satire très personnelle, vivante et nerveuse, des ordres monastiques. On lui doit aussi un poème allégorique de 612 vers, *L'Armure du chevalier.* Ses chansons d'amour se situent entre 1170 et 1190.

Edition et étude : *Les Œuvres de Guiot de Provins, poète lyrique et satirique,* éd. par John Orr, Manchester, 1915.

Page 92. ROBERT DE SABLÉ

Robert IV de Sabloeil ou Sablé, un des plus illustres seigneurs du Maine, se croisa en 1189 avec Richard Cœur-de-Lion qui lui confia une charge parmi les commandants de la flotte. Après la mort de sa femme, Clémence de Mayenne, survenue en 1190 ou 1191, il entra dans l'Ordre du Temple dont il devint le grand maître en 1191 et le resta jusqu'à sa mort en 1196. Il était renommé pour sa piété et son humilité.

Nous avons deux versions de la chanson que nous présentons — la seconde semblant l'œuvre d'un remanieur maladroit. C'est une sorte de débat où les attaques contre l'amour alternent avec les paroles de repentir, et que Robert composa sans doute peu de temps avant le départ général, en 1190, pour la croisade.

Edition et étude : Holger Petersen Dyggve, « Personnages historiques figurant dans la poésie lyrique française des XIIe et XIIIe siècles, XX. Renaut de Sabloeil et la comtesse de Meulant », dans *Neuphilologische Mitteilungen,* t. 45, 1944, pp. 61-91.

JA DE CHANTER EN MA VIE. Vers 49 : on ne sait qui Robert de Sablé désigne par ce nom de *Narcisus.* Sur la légende de Narcisse, qui mourut de trop aimer son image, voir le conte médiéval de *Narcisse* (XIIe siècle), éd. par Martine Thiry-Stassin et Madeleine Tyssens, Les Belles Lettres, 1976. Vers 55 : l'Egypte fait allusion à un prochain départ pour la croisade (celle de 1189).

Page 96. RICHARD CŒUR-DE-LION

Deuxième fils d'Aliénor d'Aquitaine et d'Henri II Plantagenêt, né en 1157, il devint comte de Poitiers et duc d'Aquitaine en 1169, et succéda à son père en 1189 comme roi d'Angleterre et duc de Normandie. Fin 1189, il quitta l'Angleterre pour la Troisième Croisade, participa en 1190 à la cérémonie de Vézelay, arriva à Chypre l'année suivante. Il remporta des victoires sur les musulmans à Arsouf (1191) et à Jaffa (1192), obtenant, par un traité avec Saladin, la libre circulation des pèlerins vers les Lieux saints et la création d'un Etat franc le long du littoral de Tyr à Jaffa. Il s'embarqua à Chypre l'année même et, sur le chemin du retour, il fut fait prisonnier par le duc d'Autriche qui le remit entre les mains de l'empereur d'Allemagne Henri VI. Il ne fut libéré qu'en 1194 contre une forte rançon. Il guerroya ensuite en France, remporta sur Philippe Auguste la victoire de Freteval, en 1194, les actions militaires alternant avec des trêves. Atteint par une flèche tirée du château de Châlus en Limousin, il mourut en 1199.

Il passa à son époque pour « le roi des rois terrestres » à cause de sa chevalerie, de sa générosité et de son ardeur ; brave, fastueux, lettré, il incarna, malgré son caractère changeant, l'idéal chevaleresque du XIIe siècle.

En relation avec de nombreux poètes occitans et français, il composa deux chansons, que leur tonalité rapproche du sirventès qui ressortit au genre moral ou satirique. Celle que nous traduisons, d'un style incisif, a été écrite pendant sa captivité (entre 1192 et 1194) pour se plaindre de la perfidie de Philippe Auguste et de l'indifférence égoïste de ses alliés et de ses vassaux.

Edition : Pierre Bec, *La Lyrique française au Moyen Age (XIIe-XIIIe siècle)*, t. 2, Picard, 1978, pp. 124-125.

Etude : Régine Pernoud, *Richard Cœur-de-Lion,* Fayard, 1988 ; *Richard Cœur de lion, histoire et légende,* Bourgois, 1989.

ROTROUENGE

La rotrouenge, dont l'étymologie est peu sûre (le mot vient-il de *rote*, petite harpe portative ?), est un genre si peu défini qu'on est arrivé à se demander si le mot ne désigne pas des chansons françaises d'inspiration non courtoise, ou des chansons à refrain d'une certaine longueur. En effet, Gennrich a retenu sous ce nom trente-quatre pièces dont neuf sont des chansons courtoises ou para-courtoises, deux des chansons de toile, trois des chansons d'amour popularisantes, cinq des pastourelles, trois des chansons de croisade, trois des chansons de malmariée, quatre des pièces pieuses, à quoi il faut ajouter une chanson d'amour de loin, une sorte de fatrasie, une reverdie et le poème de Richard Cœur-de-Lion. Pour Gennrich, la principale marque du genre serait d'essence musicale. On lira p. 312 une rotrouenge de Jacques de Cambrai.

Etudes : Fr. Gennrich, *Die altfranzösische Rotrouenge,* Halle, 1925 ; Pierre Bec, *La Lyrique française au Moyen Age,* t. 1, Picard, 1977, pp. 183-189.

JA NUS HONS PRIS NE DIRA SA RAISON. Vers 20 : Philippe Auguste avait profité de la captivité de Richard pour envahir la Normandie. Vers 37 : *Contesse suer :* il s'agit de Marie de Champagne. Vers 40 : *celi de Chartrain :* demi-sœur de Richard, Aélis, fille de Louis VII et d'Aliénor, épouse de Thibaut de Blois-Chartres.

Page 100.

HUON D'OISY

D'Hugues III, seigneur d'Oisy-le-Verger (Pas-de-Calais), châtelain de Cambrai et vicomte de Meaux, gendre d'Aélis comtesse de Blois (qui était la fille d'Aliénor d'Aquitaine), nous n'avons conservé que deux poèmes de 1189, l'un qui attaque avec vigueur Conon de Béthune son élève, l'autre qui, en 216 vers, raconte un *Tournoiement de dames,* c'est-à-dire un tournoi fictif où s'affrontent des dames, et qui relève de la satire politique.

Edition : *Les Chansons de croisade* publiées par Joseph Bédier, Champion, 1909, pp. 53-64.
Etudes : Holger Petersen Dyggve, « Personnages historiques figurant dans la poésie lyrique française des XIIe et XIIIe siècles », dans *Neuphilologische Mitteilungen,* t. 36, 1935, pp. 65-84, et t. 37, 1936, pp. 257-261.

CHANSON DE CROISADE

La pièce que nous publions figure dans le recueil des *Chansons de croisade* de Joseph Bédier. Éphémère (puisque le plus grand nombre de poèmes de ce type semblent avoir été inspirés par la Troisième Croisade, 1189-1191), « née directement des grandes émotions collectives et individuelles provoquées au XIIe et au XIIIe siècle par les expéditions successives qu'a entreprises l'Occident chrétien (...) en vue de la délivrance des Lieux Saints » (Jean Frappier), la chanson de croisade est un genre assez mal défini qui interfère avec d'autres genres : *sirventès* qui dénonce — comme la pièce d'Huon d'Oisy — ou qui exhorte, grand chant d'amour courtois, chanson de *départie* (ou de séparation) — comme la chanson d'ami publiée ci-dessus, p. 48, ou la chanson d'Hugues de Berzé.

Etudes : Jean Dufournet, « Rutebeuf et la croisade », dans *Rutebeuf, Poèmes de l'infortune et poèmes de la croisade,* Champion, 1979, pp. 92-117 ; Françoise Barteau, « Mais à quoi songeaient donc les croisés ? Essai sur quelques Chansons de Croisade : Thibaut de Champagne, Conon de Béthune, Guy de Coucy », dans *Revue des langues romanes,* t. 88, 1984, pp. 25-38.

MAUGRÉ TOUS SAINZ ET MAUGRÉ DIEU AUSI. Vers 2 : Huon reproche à Conon de Béthune d'être revenu trop tôt de la Troisième Croisade. Ces critiques ont peut-être déterminé Conon à repartir pour la Quatrième Croisade.

Page 104. HUGUES DE BERZÉ

Hugues, seigneur de Berzé-le-Châtel (arrondissement de Mâcon, canton de Cluny), né vers 1170, participa avec son père à la Quatrième Croisade (Villehardouin, § 45). De retour en France avant février 1216, il se croisa de nouveau en septembre 1220, à un moment où l'on croyait que Frédéric II était sur le point de partir au secours des Francs engagés dans l'aventure de Damiette. Il écrivit un poème moral de 1028 vers, *La Bible au seigneur de Berzé,* pièce peu originale, exhortation à se préparer à la mort, où la satire tient peu de place, hormis les vers contre les ordres monastiques. On lui doit en outre quatre chansons d'amour et deux poèmes de croisade, dont nous traduisons l'un. Au total, dit Félix Lecoy, « un de ces grands seigneurs épris de littérature et de poésie, si nombreux à cette époque de notre Moyen Age et capable, comme le dira quelques siècles plus tard le poète espagnol, de vivre *Tomando ora la spada, ora la pluma* ».

Editions : Carl Engelcke, *Die Lieder des Hugues de Bregi,* Rostock, 1885 ; Félix Lecoy, *La Bible au seigneur de Berzé,* Champion, 1939.

Page 108. LE VIDAME DE CHARTRES

Le vidame représentait l'évêque ou l'abbé pour sauvegarder leurs droits non seulement par des procédures judiciaires, mais au besoin par la force armée. Vers 1200, la vidamie de Chartres était entre les mains de Guillaume de Ferrières, mort en 1204 au cours de la Quatrième Croisade. Le vidame de Chartres, qui appartient au groupe des plus anciens trouvères et qui était déjà actif vers 1180, nous laisse huit chansons composées vers 1202.

La chanson que nous traduisons, *Quant la saisons dou douz tens s'aseüre,* a été insérée par Jean Renart dans son *Roman de Guillaume de Dole.*

Edition et étude : Holger Petersen Dyggve, « Personnages historiques figurant dans la poésie lyrique française des XIIe et XIIIe siècles, XXII. Le Vidame de Chartres », dans *Neuphilologische Mitteilungen,* t. 45, 1944, pp. 161-185, et t. 46, 1945, pp. 21-56.

Page 112. GUY, CHÂTELAIN DE COUCY

Fils de Jean, châtelain de Coucy (Coucy-le-Château, Aisne) et d'Adèle de Montmorency, châtelain de Coucy entre 1170 et 1203, il prit part aux Troisième et Quatrième Croisades. En 1202, il s'opposa à la déviation vers Constantinople ; mais il resta dans l'armée des croisés. Il n'atteignit pas le terme du voyage, puisqu'il mourut pendant la traversée de la mer Égée et, d'après Villehardouin (§ 124), son corps fut jeté à la mer : « Lors avint un granz domaiges : que uns hals hom de l'ost qui avoit nom Guis li castelains de Coci morut et fu gitez en la mer. » Faut-il l'identifier, comme le pense Holger Petersen Dyggve, avec Guy de Ponceaux, l'ami le plus cher de Gace Brulé ?

Auteur de chansons courtoises, il fut l'objet, après sa mort, d'une légende qui donna son nom à un roman, *Le Roman du castelain de Coucy et de la dame de Fayel,* que Jakemes broda en 1290 sur le thème du « cœur mangé » : des messagers rapportent à la dame du Fayel, embaumé et enfermé dans un coffret, le cœur de son amant mort en Terre Sainte ; mais le mari jaloux s'empare du coffret à l'insu de la dame et lui fait servir à table le cœur accommodé par le cuisinier du château.

Editions : *Edition critique des Œuvres attribuées au Châtelain de Couci,* par Alain Lerond, P.U.F., 1963 ; *Le Roman du castelain de Couci et de la dame de Fayel,* éd. par J. E. Matzke et Maurice Delbouille, 1936, et traduit par Aimé Petit et François Suard, Troesnes-La Ferté-Milon, Corps 9 Editions, 1986 (Trésors littéraires médiévaux du Nord de la France).

Etudes : Holger Petersen Dyggve, « Personnages historiques figurant dans la poésie lyrique française des XIIe et XIIIe siècles, VI. L'énigme du “ comte ” de Couci », dans *Neuphilologische Mitteilungen,* t. 37, 1936, pp. 261-283 ; Jean Frappier, *La Poésie lyrique française aux XIIe et XIIIe siècles,* CDU, 1966, pp. 162-172 ; Jean Longnon, *Les Compagnons de Villehardouin,* Genève, Droz, 1978, p. 119 ; Denis Barthélémy, *Coucy, deux âges d'une seigneurie banale, XIe-XIIIe siècle,* thèse, publications de la Sorbonne, 1984.

LA DOUCE VOIZ DU LOUSEIGNOL SAUVAGE. Vers 6 : le *lige homage* est un hommage total par lequel on s'engageait à servir son seigneur *integre,* « entièrement », « sans réserve » et *contra omnes,* « contre tous hommes ». Voir notre préface, p. 25, et François-L. Ganshof, *Qu'est-ce que la féodalité ?* Bruxelles, Presses Universitaires, 4e éd., 1968, pp. 95-97 (1e éd. 1944).

LI NOUVIAUZ TANZ ET MAIS ET VIOLETE. Vers 29 : autre sens possible : s'il (*Amour*) me tue, il aura moins de captifs à garder.

Page 120. CONON DE BÉTHUNE

Né vers le milieu du XIIe siècle, il fut l'élève d'Huon d'Oisy et fréquenta la cour de Marie de Champagne et l'entourage de Gace Brulé. Il participa à la Troisième Croisade (1189-1193), mais c'est surtout au cours de la Quatrième Croisade que, selon la Chronique de Villehardouin, il manifesta ses qualités d'orateur, de chef de guerre et de responsable politique. Il participa aux négociations avec Venise et, partisan de la déviation vers Constantinople, il fut le porte-parole des croisés (1204-1205), proche conseiller des deux empereurs latins Baudouin de Flandre et Henri de Hainaut, dont il devint un des grands dignitaires. Il fut de toutes les grandes actions militaires : second siège d'Andrinople, rescousse de Renier de Trith, délivrance de Kivotos et de Cyzique en Asie Mineure. Au cours de la guerre des Lombards (1176-1183), s'il fut chargé de négociations, il commanda aussi l'armée de terre. Régent de l'empire à la mort de l'empereur Henri, puis à nouveau en 1219, il mourut le 17 décembre 1219. Comme l'a écrit Jean Longnon, « il était l'un des derniers de la génération des conquérants et, toujours sur la brèche, ne semble jamais être retourné en France ».

On peut lui attribuer dix chansons — courtoises ou de croisade — dont le ton souvent véhément, et peut-être parfois autobiographique, tranche avec celui des autres trouvères de la première génération. Il écrit dans la langue littéraire commune, bien que, selon le premier poème que nous traduisons, on lui ait reproché de s'exprimer en picard.

Edition : *Les Chansons de Conon de Béthune,* éditées par Axel Wallensköld, 1921.

Etudes : Jean Frappier, *La Poésie lyrique en France aux XIIe et XIIIe siècles,* CDU, 1966, pp. 123-140 ; Jean Longnon, *Les Compagnons de Villehardouin,* Genève, Droz, 1978, pp. 146-149.

L'AUTRIER AVINT EN CEL AUTRE PAÏS. Vers 39 : *li Marchis* est le marquis Boniface II de Montferrat, qui s'illustra pendant la Quatrième Croisade, et qui était un protecteur des poètes. Vers 40 : *li Barrois* est Guillaume des Barres, d'une force prodigieuse, qui, vers 1188, vainquit Richard Cœur-de-Lion en combat singulier.

MOUT ME SEMONT AMORS KE JE M'ENVOISE. Vers 7 : *la Contesse* est Marie de Champagne. Vers 8 : *la Roïne* est la reine de France, Alix de Champagne, mère de Philippe Auguste.

AHI ! AMORS, COM DURE DEPARTIE. Chanson de croisade, et plus précisément de *départie,* « séparation ».

Page 128.

GACE BRULÉ

Gace Brulé (de Burelé, surnom d'une famille champenoise), chevalier, né au plus tard en 1159, vécut sans doute à Nanteuil-les-Meaux, où il écrivit entre 1179 et 1212. Il fréquenta la comtesse Marie de Champagne, le comte Geoffroy de Bretagne (demi-frère de Marie), les comtes Louis Ier de Blois (fils d'Aélis, sœur de Marie) et Thibaut Ier de Bar, Guillaume de Garlande, seigneur de Livry, qu'il appelle Noblet, Gilles de Vieux-Maisons, Bouchard Ier de Marly, Guy de Ponceaux, châtelain de Coucy, et sans doute Conon de Béthune. Peut-être prit-il part à la Troisième ou à la Quatrième Croisade.

Fort apprécié de ses contemporains qui lui rendent hommage dans leurs dédicaces (Blondel de Nesle, Gautier de Dargies, Gontier de Soignies) ou qui insèrent ses poésies dans leurs romans, comme Jean Renart dans son *Roman de la Rose ou de Guillaume de Dole,* vers 1210, et Gerbert de Montreuil dans *Le Roman de la Violette,* ou qui les récrivent dans un autre registre, souvent pieux, des cent huit œuvres qui lui sont attribuées, soixante-neuf lui appartiennent, quinze sont douteuses, et vingt-quatre ne sont pas de lui.

Émule des troubadours dont il fréquenta certains qui ont visité le Nord de la France, il en reprend les lieux communs et les formules sur la *fine amor,* les joies et les désespoirs de l'amour, se plaisant à de multiples variations, chantre exalté de la folie amoureuse : c'est ainsi que le début de la chanson est souvent lié à une description du printemps, du réveil de la nature et du chant des oiseaux, mais il chante tout aussi bien à l'arrière-saison, ou quand les arbres sont blanchis par le frimas ; il faut chanter indépendamment de la saison, à tout moment si la dame l'en prie — c'est même l'automne ou l'hiver qui conviennent le mieux à son amour désespéré — ; ce n'est pas la verdure ni les fleurs, mais seulement l'amour qui le fait chanter, tandis que les faux amants ne chantent qu'au printemps et sans amour. Gace Brulé se sert de la langue littéraire commune de son temps et de schémas métriques généralement simples.

Edition : Holger Petersen Dyggve, *Gace Brulé, trouvère champenois. Edition des chansons et étude historique,* Helsinki, 1951.

Etude : Jean Frappier, *La Poésie lyrique en France aux XIIe et XIIIe siècles,* CDU, 1954, pp. 141-161 ; *Les Chansons de Gace Brulé, concordancier et index,* par G. Lavis et M. Stasse, Liège, 1979 ; Emmanuèle Baumgartner, « Remarques sur la poésie de Gace Brulé », dans *Revue des langues romanes,* t. 88, 1984, pp. 1-13.

CONTRE TANZ QUE VOI FRIMER. Vers 55 : *Guiot de Ponceaux* serait, selon Holger Petersen Dyggve, Guy, châtelain de Coucy.

POUR MAL TEMPS NE POR GELEE. Vers 49 : *Bochart* est Bouchart Ier de Marly, seigneur de Ferrières-en-Brie ; cf. éd. de Petersen Dyggve, pp. 71-73.

BIEN CUIDAI TOUTE MA VIE. Vers 3 : *la contesse de Brie* est Marie de Champagne.

Page 140. GILLES DE VIEUX-MAISONS

Ce chevalier, originaire de Vieux-Maisons (canton de Villiers-Saint-Georges, arrondissement de Provins), appelé Gillet par Gace Brulé et Gilon par Conon de Béthune, fréquenta la cour de Marie de Champagne. Il est l'auteur de trois chansons authentiques (début du XIIIe siècle), dont l'une, qui contient une violente attaque contre l'Amour, attira une réplique de Conon de Béthune et de Gace Brulé. Selon Holger Petersen Dyggve, « Gilles de Vieux-Maisons, en relations amicales et littéraires avec trois de ses confrères, Gace Brulé, Conon de Béthune et Pierre de Molins, voilà le fait intéressant révélé par ce qui précède. On peut y voir comme un indice des liens mutuels unissant, dès l'origine, les anciens trouvères, liens qui, peut-être, étaient plus intimes et plus étendus qu'on ne l'a cru jusqu'ici. Et l'on croit aussi entrevoir déjà en germe cet esprit de corps qui devait aboutir plus tard à la création des " puys " littéraires, et la solidarité qui, une ou deux générations plus tard, devait faire naître la collaboration formelle des jeux-partis. »

Edition et étude : Holger Petersen Dyggve, « Trouvères et protecteurs des trouvères dans les cours seigneuriales de France », dans *Annales Academiae Scientiarum Fennicae,* série B, t. L, Helsinki, 1942, pp. 48-80 ; « Les deux de Saint-Denis et Gillet amis de Gace Brulé », dans *Neuphilologische Mitteilungen,* t. 44, 1943, pp. 200-207.

Page 144. BLONDEL DE NESLE

Trouvère de la première génération, né entre 1155 et 1160, ami de Conon de Béthune et de Gace Brulé, originaire sans doute de Nesle (arrondissement de Péronne, Somme), peut-être Jean II de Nesle si l'on en croit Holger Petersen Dyggve, auteur d'une vingtaine de chansons consacrées à chanter *la fine amor.* Il fréquenta la cour de Champagne.

Dès le XIIIe siècle, il devint un personnage légendaire, amant hors de pair et ami du roi Richard d'Angleterre qu'il aurait découvert dans sa captivité en chantant une de ses chansons. Cette légende, racontée par le Ménestrel de Reims (1260), sera reprise par Grétry dans son opéra *Richard Cœur-de-Lion.*

Edition : L. Wiese, *Die Lieder des Blondels de Nesle,* Dresde, 1904.

A L'ENTREE DE LA SAISON. Vers 29 : Blondel s'adresse à Gace Brulé.

Page 148. ROBERT MAUVOISIN

Il est difficile de savoir qui est exactement ce poète qui appartient à une famille du Vexin français, et dont on a gardé une chanson. Ce peut être, selon Holger Petersen Dyggve, Robert II Mauvoisin dont le rôle militaire et politique fut important : fils de Raoul IV, il prit part à la Quatrième Croisade qui s'empara de Constantinople (il est cité par Villehardouin parmi les croisés d'Ile-de-France avec son oncle Guillaume d'Aunay et son beau-frère Dreux de Cressonsacq), à la croisade contre les Albigeois, lié à Simon de Montfort, à l'abbé Guy des Vaux de Cernay et à son neveu Pierre des Vaux de Cernay ; il mourut en 1217, après une ambassade auprès du nouveau pape Honorius III. Ce peut être aussi Robert III, fils de Guillaume II, petit-fils de Raoul IV, que nous fait connaître un acte de 1202.

Edition et étude : Holger Petersen Dyggve, *Trouvères et protecteurs des trouvères dans les cours seigneuriales de France,* dans *Annales Academiae Scientiarum Fennicae,* série B, t. 50, Helsinki, 1942 *(Commentationes philologicae in honorem Arthur Långfors),* pp. 100-135.

Page 152. GAUTIER DE COINCI

Né à Coinci (arrondissement de Château-Thierry dans l'Aisne) en 1177, dans une famille noble, Gautier, entré au monastère de Saint-Médard de Soissons en 1193, devint prieur à Vic-sur-Aisne en 1214, puis grand-prieur à Saint-Médard de Soissons en 1233, jusqu'à sa mort en 1236.

Il composa deux livres de *Miracles de Notre-Dame,* qui comportent, outre des prologues, des chansons lyriques en l'honneur de la Vierge et près de soixante miracles, écrits à partir d'un manuscrit latin trouvé dans la bibliothèque de Saint-Médard, dans une langue très riche, d'une extrême habileté technique (rimes équivoques et annominations qui jouent sur les mêmes mots et les mêmes syllabes, images et locutions colorées) au service d'une vigoureuse satire contre tous les ordres de la société. L'on trouve, de surcroît, dans le premier livre, un sermon en vers, *De la Chastée as nonnains,* « Sur la chasteté des religieuses », qui se termine par une chanson pieuse que nous traduisons ci-après, et, dans le second livre, un poème didactique pour les gens du monde, *Doutance de la mort.*

Le poème qui suit est la transposition religieuse d'une *reverdie* populaire sur le thème du cœur donné. Mais Pierre Bec rejette pour ce poème l'appellation de *reverdie.*

Editions : *La Chastée as nonnains,* éd. par Tauno Nurmela, Helsinki, 1937 ; *Les Miracles de Notre-Dame par Gautier de Coinci,* éd. par Victor-F. Koenig, Genève, Droz, 4 vol., 1955-1970.

Etudes : Arlette Ducrot-Granderye, *Etudes sur les Miracles Notre-Dame,* Helsinki, 1932 ; Jacques Chailley, *Les Chansons de Gautier de Coinci,* Champion, 1952 ; Annette Garnier, *Mutations temporelles et cheminement spirituel. Analyse et commentaire du Miracle de l'Empeeris, de Gautier de Coinci,* Champion, 1988.

BIEN VOS POEZ D'AMORS VANTER. Vers 54-57 : Gautier aime à jouer avec les mots *Marie, mari* et *marier.*

REVERDIE

C'est un genre mal défini du point de vue formel, sans doute à l'origine un chant joyeux destiné à la danse et situé dans un décor champêtre. Au XIIIe

siècle, la reverdie, illustrée par Colin Muset et Guillaume le Vinier, sans parler de cinq pièces anonymes, est en général un poème isostrophique qui abonde en diminutifs et comporte trois éléments (décor printanier, rencontre amoureuse, description de la jeune fille) auxquels Colin Muset a ajouté le registre de la bonne vie.

Editions : Karl Bartsch, *Altfranzösische Romanzen und Pastourellen,* Leipzig, 1870 ; *Les Chansons de Colin Muset,* publiées par Joseph Bédier, 2e éd., 1938 (Classiques français du Moyen Age), pièces nos I, IV et VIII.
Etudes : Madeleine Tyssens, « *An avril au tens pascour,* » dans les *Mélanges... Jean Boutière,* Liège, 1971, t. I, pp. 589-603 ; Pierre Bec, *La Lyrique française au Moyen Age (XIIe-XIIIe siècles),* Picard, 1977, t. 1, 136-141.

Page 158. THIBAUT DE BLAISON

Ami de Thibaut de Champagne, il prit part à la campagne de Las Navas de Tolosa (Andalousie) en juillet 1212. Il assista au sacre de Louis IX en novembre 1226. Sénéchal de Poitou entre 1227 et 1229, il est, en juin 1228, arbitre du renouvellement des trêves conclues en 1227 entre saint Louis et Henri III d'Angleterre. Il mourut en 1229.
On peut lui attribuer sans hésitation six chansons, une pastourelle, une chanson de malmariée et une chanson en langue provençalisée. Aussi bien poitevin qu'angevin (il venait des pays de Loire), il composa en langue d'oc et d'oïl. Plus âgé que Thibaut de Champagne, il dut être, pour son émule, un lien entre la poésie méridionale et la poésie du Nord.

Edition : *Les Poésies de Thibaut de Blaison,* éditées par Terence Newcombe, Genève, Droz, 1978.

QUANT SE REJOÏSSENT OISEL. Il s'agit d'une chanson de malmariée, qui appartient au registre popularisant. On la comparera à celle de Moniot de Paris, p. 274.

Page 166. THIBAUT DE CHAMPAGNE

Né le 30 mai 1201, fils posthume de Thibaut III de Champagne et de Blanche de Navarre, petit-fils de Marie de Champagne et arrière-petit-fils d'Aliénor d'Aquitaine, il régna d'abord sous la tutelle de sa mère, et épousa successivement Gertrude de Metz (1220) et Agnès de Beaujeu (1223). Il participa aux campagnes du roi de France Louis VIII contre les Anglais, et en 1224 au siège de La Rochelle, plus tard au siège d'Avignon. Il abandonna le roi qu'on l'accusa d'avoir empoisonné (1226). En 1227, il s'associa aux grands féodaux contre Blanche de Castille ; mais en 1228, quand les Anglais débarquèrent en Normandie, il vint au secours de la reine. En 1229, il fut médiateur entre la monarchie et Raymond VII de Toulouse. Après la mort de sa femme Agnès, il épousa en 1232 Marguerite de Bourbon, et devint roi de Navarre en 1234. Après s'être de nouveau joint aux grands féodaux contre la couronne, il se soumit définitivement en 1236. Parti pour la croisade en 1239, il débarqua à Saint-Jean-d'Acre. Revenu en France en 1240, il combattit contre les Anglais, en 1242, aux côtés de saint Louis lors des batailles de Taillebourg et de Saintes. En 1245, il effectua un pèlerinage à Rome et mourut à Pampelune en 1253.

Trouvère très estimé de son vivant comme en témoignent les nombreux manuscrits (trente-deux), influencé par Gace Brulé, en relation poétique avec Raoul de Soissons, Girart d'Amiens, Guillaume le Vinier et surtout Philippe de Nanteuil, il est l'auteur de cinquante à soixante pièces, dont trente-sept chansons d'amour, trois chansons de croisade, neuf jeux-partis, cinq débats, deux pastourelles, quatre chansons à la Vierge, un lai religieux et un serventois.

Comme l'a écrit Marcel Faure, « le trouvère fait de la chanson d'amour, ou grand chant courtois, un espace sacré où se déploie la tapisserie de l'imaginaire, représentation à la fois abstraite et imagée du désir. L'amour n'est pas de l'ordre du visible, et la Dame du poète n'est ni un corps ni même un être ; femme interdite et muette, elle est l'obsession du silence, l'interrogation permanente, l'apparence qui obstrue l'accès au secret ; elle est l'énigme, la voie unique qui mène à la Connaissance. Ainsi, lorsqu'on accepte de ne pas déceler à tout prix tout ce qui relèverait de la circonstance, on comprend mieux la quête de soi de Thibaut, une quête appuyée sur la convention parce que seule celle-ci préserve des pièges de l'aveu personnel, et qu'elle seule, avec ses rites, peut conduire, par une douloureuse alchimie du désir, au seuil de la parade amoureuse, de la parade de la Connaissance. »

Edition : Axel Wallensköld, *Les Chansons de Thibaut de Champagne, roi de Navarre,* Champion, 1925.

Etudes : Jean Frappier, *La Poésie lyrique française aux XIIe et XIIIe siècles,* CDU, 1954, pp. 173-195 ; Marcel Faure, « " *Aussi com l'unicorne sui* " ou le désir d'amour et le désir de mort dans une chanson de Thibaut de Champagne », dans *Poètes du XIIIe siècle, Revue des langues romanes,* t. 88, 1984, pp. 15-21 ; *Thibaut de Champagne, prince et poète au XIIIe siècle,* sous la direction d'Yvonne Bellenger et Danielle Quéruel, Lyon, La Manufacture, 1987.

POR CONFORTER MA PESANCE. Vers 25 : *Mahon,* Mahomet.

LI ROSIGNOUS CHANTE TANT. Vers 16 : allusion à la rivalité et aux guerres de Pompée et de Jules César. Vers 34 : Salomon et David symbolisaient la sagesse au Moyen Age.

AUSI CONME UNICORNE SUI. Vers 1 : les chasseurs capturaient la licorne quand elle tombait évanouie sur le sein d'une jeune fille vierge. C'est une tradition qu'ont transmise les Bestiaires du Moyen Age. Voir Brunetto Latini, *Le Livre du Trésor,* dans *Jeux et Sapience du Moyen Age,* éd. par Albert Pauphilet, Gallimard, 1951, p. 822 : « Et sachiez que unicorne est si aspres et si fiers que nus ne le puet penre ne ataindre par nul engin ; ocis puet il bien estre, mais vif ne le puet on avoir. Et neporquant li veneor envoient une vierge pucele cele part où l'unicorne converse ; car ce est sa nature que maintenant s'en va à la pucele tout droit, et depose toutes fiertez et s'en dort soef el giron à la pucele ; et en ceste maniere le deçoivent li veneor. » Vers 10 et suivants : Thibaut utilise les allégories traditionnelles, qu'on retrouve par exemple dans *Le Roman de la Rose* de Guillaume de Lorris (son exact contemporain), où Dangier, qui garde une des portes du château où est enfermé Bel Accueil, désigne la pudeur, la résistance à l'amour.

AU TENS PLAIN DE FELONNIE. Vers 10 : *Surie,* allusion à la croisade de 1239. Vers 23 : *Phelipe* est le poète Philippe de Nanteuil. Vers 46 : *Lorent* désigne un autre ami de Thibaut.

Page 178. MONIOT D'ARRAS

Ce poète, qui fut d'abord un jeune moine, écrivit entre 1213 et 1239 (seize chansons authentiques, dont un jeu-parti). Il fut en relation avec le trouvère Guillaume le Vinier et de grands personnages comme Robert III de Dreux et son frère Jean de Braine, Gérard III, seigneur de Picquigny et vidame d'Amiens, Alphonse de Portugal, comte de Boulogne.

Dans une œuvre très cohérente, sorte d'autobiographie amoureuse, qui se plaît à utiliser des termes abstraits, toute en finesse, on découvre, selon Rita Lejeune, « une nature délicate pour qui l'amour est sincèrement une chose sérieuse ».

Edition : Holger Petersen Dyggve, *Moniot d'Arras et Moniot de Paris, trouvères du XIIIe siècle,* Helsinki, 1938.

Etude : Rita Lejeune, « Moniot d'Arras et Moniot de Paris », dans *Neuphilologische Mitteilungen,* t. 42, 1941, pp. 1-14.

Page 184. HUON DE SAINT-QUENTIN

Cette pastourelle a été attribuée par les manuscrits soit à Huon de Saint-Quentin soit à Jean de Braine. Nous pensons avec Arié Serper qu'il faut plutôt en créditer le premier dont nous ne savons pratiquement rien, sinon qu'il a composé deux poèmes satiriques, une chanson de croisade et une *Complainte de Jérusalem,* qui se rapportent toutes deux à la chute de Damiette (1221), et deux pastourelles.

Quant à Jean de Braine (arr. de Soissons, Aisne) — confondu autrefois avec Jean de Brienne, roi de Jérusalem et empereur de Constantinople (mort en 1237) —, il était fils du comte Robert II de Dreux et cousin germain du roi Louis VIII ; il devint comte de Mâcon et de Vienne par son mariage avec l'héritière du fief. Mort en croisade en 1239 ou 1240, il est l'auteur de deux chansons d'amour.

Edition : Albert Henry, *Chrestomathie de la littérature en ancien français,* Berne, Francke, 1953, 6e éd. 1978, pp. 232-233.

Edition et étude : *Huon de Saint-Quentin, poète satirique et lyrique,* étude historique et édition de textes, par Arié Serper, Madrid, Turanzas, 1983 (*Studia humanitatis*).

LA PASTOURELLE

Dans ce genre lyrique, de type narratif, un seigneur, qui peut être le poète, tente de séduire une bergère, qui est quelquefois une simple jeune fille. Tantôt le galant seigneur triomphe, soit que la bergère accepte ses propositions, soit qu'il la viole. Tantôt il échoue : il renonce de lui-même à son projet (comme dans la pastourelle d'Huon de Saint-Quentin) ou, le plus souvent, l'arrivée des bergers le contraint à la fuite, et quelquefois même il est ridiculisé, voire battu.

Sans doute faut-il partir du simple dialogue amoureux, dont les poètes ont varié les données en s'éloignant de l'éthique courtoise et en introduisant le viol, le cynisme, la moquerie, en sortant du cadre unique de la noblesse pour s'entretenir avec des *pucelles,* des *tousettes,* des bergères, des béguines, en sortant du jardin ou du verger pour entrer dans une nature ouverte, qui peut être sauvage, automnale, froide. Certains inversent même les rôles, puisqu'il arrive qu'une *tousette* « fillette » viole le poète (n° 75 du recueil de Karl Bartsch). S'introduisent alors la satire et la parodie, appliquées tantôt aux vilains, tantôt au chevalier.

Poésie des lieux ouverts, des paysages agrestes qui peuvent être sauvages, à rapprocher de la *serranilla* espagnole dont les héroïnes sont des montagnardes lubriques, la pastourelle met en scène des sauvageonnes, liées à la nature dans laquelle elles vivent : « Tout se passe comme si un contenu érotique diffus dans la nature se cristallisait dans le personnage de la femme sauvage et faisait sous cette forme son entrée dans la littérature » (Michel Zink). La pastourelle serait donc le monde hors-la-loi des cours et des églises, l'envers de la courtoisie trop éthérée et vidée de sa sexualité par l'Eglise, un ailleurs qui libère les instincts, les vacances de la courtoisie, un monde où s'exprime un désir fou pour la femme objet de plaisir, où se trouvent liés l'état sauvage, le monde paysan qui en est le succédané, et la folie du désir, le désir charnel à l'état pur.

Parmi les exemples les plus représentatifs de pastourelles dans le volume, on lira celle de Jacques de Cambrai, p. 314. A propos des pastourelles des poètes d'Arras, on se reportera à la notice relative à Jean Érart, p. 355.

Editions : Karl Bartsch, *Altfranzösische Romanzen und Pastourellen,* Leipzig, 1870 ; *Les Poésies du trouvère Jehan Erart,* éd. par Terence Newcombe, Genève, Droz, 1972 ; *Pastourelles,* éd. par Jean-Claude Rivière, 3 vol., Genève, Droz, 1974-1976.

Etudes : Maurice Delbouille, *Les Origines de la pastourelle,* dans les *Mémoires de l'Académie royale de Belgique,* classe des Lettres, t. XX, Bruxelles, 1926 ; Michel Zink, *La Pastourelle. Poésie et folklore au Moyen*

Age, Bordas, 1972; Jean Dufournet, « A propos d'un livre sur la pastourelle », dans la *Revue des langues romanes*, t. 80, 1972, pp. 331-344; Joël Blanchard, *La Pastorale en France aux XIVe et XVe siècles*, Champion, 1983.

Page 188. PHILIPPE DE NANTEUIL

Seigneur de Nanteuil-le-Haudouin (Oise), en 1229, il participa à deux croisades : il suivit son ami Thibaut IV de Champagne en 1239, fut fait prisonnier à Gaza et emmené au Caire ; rentré en France en 1240, il repartit avec saint Louis (1248) et mourut au cours de l'expédition (fin 1249 ou 1250). Pendant sa captivité, il composa des chansons afin de soutenir le moral de ses compagnons, comme le dit dans sa chronique le continuateur de Guillaume de Tyr. « Or Philippes de Nantuel fu menés avec les autres prisons (*prisonniers*) en Babyloine (*au Caire*). En la prison ou il fu mis, il fist plusieurs chançons ; aucune il envoia en l'ost des crestïens, que nous dirons à ceus qui oïr la voudront : *En chantant veil mon duel faire.* » Il n'en reste qu'une, celle que nous publions. Joinville signale Philippe comme l'un des « huit chevaliers preudomes » qui, après la prise de Damiette, accompagnaient toujours saint Louis, « tous bons chevaliers qui avoient eü pris d'armes deça mer et au dela ». Thibaut de Champagne, avec qui il était en commerce poétique, comme en témoignent certains jeux-partis, le qualifie de *bon chanteor.*

Edition : Joseph Bédier et Pierre Aubry, *Les Chansons de croisade,* Champion, 1909, pp. 217-225.

Etudes : L. Fautrat, « Nanteuil, son abbaye et sa demeure seigneuriale », dans *Comité archéologique, comptes rendus et mémoires,* 3e série, t. VI, année 1891, pp. 49-105 ; W. M. Newman, *Les Seigneurs de Nesle en Picardie, leurs chartes et leur histoire ; étude sur la noblesse régionale, ecclésiastique et laïque,* Picard, 1971.

EN CHANTANT VEIL MON DUEL FAIRE. Vers 5 : il s'agit d'Amaury IV de Montfort (1192-1241), connétable de France, qui céda au roi Louis VIII ses droits sur le Midi (1224). Vers 21 : le *quens de Bar* est Henri II de Bar, disparu à la bataille de Gaza (13 novembre 1239). Vers 31-32 : il s'agit respectivement des Hospitaliers de Jérusalem, des Templiers et des chevaliers de l'Ordre Teutonique auxquels Nanteuil reproche leur pusillanimité et leur paresse face aux Sarrasins.

Page 192. ROBERT DE MEMBEROLES

Ce poète-chevalier né à Membrolles, près de Châteaudun, dans le comté de Blois, croisé en 1238 avec Thibaut de Champagne, revint sain et sauf de la croisade de 1239. On a de lui deux chansons.

Edition et étude : Holger Petersen Dyggve, *Trouvères et protecteurs des trouvères dans les cours seigneuriales de France;* dans *Annales Academiae Scientiarum Fennicae,* série B, t. 50, Helsinki, 1942, pp. 90-99.

Page 196. GUIOT DE DIJON

C'est un trouvère bourguignon du premier tiers du XIIIe siècle protégé par Érart II de Chacenay. On lui a attribué vingt-deux chansons, mais cinq ou six seulement sont de lui à coup sûr, élégantes et banales, hormis la complainte que nous avons choisie, lamentation passionnée d'une jeune fille qui regrette l'absence de son ami parti pour la croisade.

Edition : Elisabeth Nissen, *Les Chansons attribuées à Guiot de Dijon et à Jocelin,* Champion, 1929.

CHANTERAI POR MON CORAGE. « Chanson d'outrée », ou chanson de marche pour les pèlerins. Vers 12 : il s'agit d'une chanson d'ami qui se rapporte à la croisade, désignée par le mot de pèlerinage (vers 15). Vers 51 : *sa chemise* est ici une tunique qui recouvrait les autres vêtements. Les croisés, équipés au départ en pèlerins, étaient escortés par leurs parents et amis. A l'étape, ceux-ci les quittaient et les croisés reprenaient leurs vêtements militaires.

Page 200. THIBAUT D'AMIENS

Nous ne connaissons rien de ce poète, sinon cette très belle prière à la Vierge dont l'accent prenant et discret, presque verlainien, renouvelle un genre très vite sclérosé par le recours aux litanies traditionnelles et aux images stéréotypées.

Edition et étude : Arthur Långfors, « La Prière de Thibaut d'Amiens », dans *Studies in Romance Philology and French Literature presented to John Orr,* Manchester, 1953, pp. 134-157.

J'AI UN CUER TROP LET. Ce poème marial est à rapprocher des *Neuf Joies de Notre-Dame,* qu'on attribue généralement à Rutebeuf, et du *Repentir de Rutebeuf;* voir Rutebeuf, *Poèmes de l'infortune et autres poèmes,* Poésie/Gallimard, 1986.

Page 210. GUILLAUME LE VINIER

Mort en 1245 selon *Le Nécrologe de la Confrérie des Jongleurs et Bourgeois d'Arras,* moins souvent cité que son frère Gilles le Vinier, en relations littéraires avec Gace Brulé, Adam de Givenci, Andrieu Contredit, Moniot d'Arras, avec la cour de Thibaut de Champagne, Guillaume a exercé son activité poétique dans la première moitié du XIIIe siècle.

Son œuvre comporte trente-cinq poésies, authentiques ou d'attribution vraisemblable : des chansons d'amour, une reverdie et une chanson de malmariée, des poèmes à la Vierge, un lai et un descort (sorte de lai, chanson courtoise hétérométrique), des jeux-partis, des pastourelles. Cette poésie, souriante et sereine, manifeste humour et esprit. « Il fallait un souple talent pour passer de la chanson à refrain au grand chant courtois, de la prière à la Vierge aux plaisantes évocations des pastourelles. Guillaume le Vinier a élégamment pratiqué les genres les plus divers. Par le nombre et la qualité de ses productions, il mérite d'être considéré comme un des meilleurs trouvères de son temps... Comment résister au charme de ces chansons à refrain qui, tout en mêlant des inflexions courtoises aux vieilles modulations " populaires ", gardent l'irrésistible élan et la fraîche poésie des joyeuses *caroles* d'antan ? » (Philippe Ménard).

Edition et étude : *Les Poésies de Guillaume le Vinier,* publiées par Philippe Ménard, Genève, Droz, 1970.

AMOUR, VOSTRE SERS ET VOSTRE HOM. Ce poème est un bel exemple d'utilisation systématique du vocabulaire de la féodalité. Voir la préface, p. 25, et le livre de François-L. Ganshof, *Qu'est-ce que la féodalité?,* Bruxelles, Presses Universitaires, 4e éd. 1968 (1re éd. 1944).

Page 216. COLIN MUSET

Colin Muset, dont on a conservé une vingtaine de chansons, a exercé son activité poétique aux confins du comté de Champagne et du duché de Lorraine (cf. préface, note 19), au temps des deux rois saint Louis et Thibaut de Navarre (Thibaut de Champagne), pendant tout le second tiers du XIIIe siècle. Son nom est sans doute un pseudonyme emblématique dont il exploite, comme Rutebeuf, toutes les possibilités sémantiques : le *muset,* c'est la petite souris, mais c'est aussi celui qui passe son temps à *muser,* à flâner, à musarder, et qui joue des airs de *musette,* de cornemuse.

Si Colin Muset reprend des motifs de la chanson traditionnelle, comme le *fin amant,* l'amant martyr, le renouveau printanier, les médisants *losengiers,* le service d'amour, il introduit dans la poésie, à travers ses préoccupations épicuriennes, le registre de la bonne vie, la vie du corps, la gourmandise et la sensualité, le jeu et la gaieté, voire l'exubérance. C'est le type même du jongleur, dont il joue tous les rôles, poète, compositeur, interprète et musicien, Caliban autant qu'Ariel, voué à l'errance et à l'instabilité, dépendant de la générosité d'autrui dont il fait l'éloge. « Ses chansons sont de petites merveilles, animées par un rythme qui favorise la juxtaposition et l'enchaînement par séries de termes concrets, familiers ou sensuels, d'esquisses malicieuses et spirituelles, d'images spontanées et légères » (Marcel Faure).

Edition : *Les Chansons de Colin Muset,* publiées par Joseph Bédier, 2e éd., 1938 (1e éd. 1912).

Etudes : Jean Frappier, *La Poésie lyrique française aux XIIe et XIIIe siècles,*

CDU, 1954, pp. 196-208 ; M. Banitt, « Le Vocabulaire de Colin Muset », dans *Romance Philology,* t. 20, 1966, pp. 151-167.

HIDOUSEMENT VAIT LI MONS EMPIRANT. Vers 33-34 : *Choisuel,* Choiseul, ancienne seigneurie, dans le canton de Clefmont, autrefois appelé *Clermont* (Haute-Marne) ; *Soilli* est Sailly, ancienne seigneurie, dans le canton de Poissons (Haute-Marne).

EN MAI, QUANT LI ROSSIGNOLEZ. Vers 17 : *Gravier* n'a pas été identifié.

Page 226. GARNIER D'ARCHES

Ce poète, qui avait lui-même une cour et à qui l'on doit au moins deux chansons et peut-être deux autres, était sans doute originaire d'Arches dans le canton d'Epinal, peut-être contemporain et voisin de Gautier d'Épinal, en relation avec le marquis d'Arlon, Henri III de Limbourg, comte de Luxembourg de 1226 à 1281, mécène connu, et avec Colin Muset.

Edition et étude : Holger Petersen Dyggve, « Personnages historiques figurant dans la poésie lyrique française des XIIe et XIIIe siècles, XXIV : Garnier d'Arches et son destinataire " le bon marquis " », dans *Neuphilologische Mitteilungen,* t. 46, 1945, pp. 123-153.

PIEÇA QUE JE N'EN AMAI. Vers 46 : le *Boens marchis* est Henri III de Limbourg, comte de Luxembourg et marquis d'Arlon, beau-frère de Thibaut II de Bar, qui s'adresse à lui durant sa captivité (voir ci-dessus p. 250 et note).

Page 230. PHILIPPE DE BEAUMANOIR

Philippe de Rémi (aux environs de Compiègne), sire de Beaumanoir, père de l'auteur d'un traité de jurisprudence sur les *Coutumes de Beauvaisis,* écrivit, vers le milieu du XIIIe siècle, deux romans, *La Manekine* et *Jehan et Blonde,* des poèmes courtois et religieux, et surtout des *Oiseuses* et des *Fatrasies* qui ressortissent à la poésie du non-sens et qui révèlent deux traits distinctifs de l'ensemble de l'œuvre : le refus de la fermeture et la hantise des situations limites.

Avec les *Fatrasies,* il nous introduit dans le non-sens absolu. C'est un ensemble de onze strophes de onze vers, formées d'un sixain de pentasyllabes et d'un quintil d'heptasyllabes, dont la composition rigoureuse nous empêche de parler de genre populaire ou popularisant, ou encore d'improvisation, et dont le contenu a été nourri par plusieurs traditions du Moyen Age : *impossibilia,* devinhal provençal, chansons de menteries, jeux parodiques et satiriques, cycle renardien. Le choix du onze n'est pas indifférent : dans la symbolique des nombres, ne marque-t-il pas l'excès, l'outrance, la violence, la dissonance, l'initiative individuelle au détriment de l'harmonie cosmique ? Philippe de Beaumanoir, qui semble avoir été le créateur du genre, lui a donné sa forte structure et son profil fondé sur des techniques destinées à produire du non-sens, le recours à certains types syntaxiques et la couleur du lexique. C'est sans doute un jeu qui annonce ceux des surréalistes, mais aussi le reflet d'un temps déchiré, contradictoire, traduisant un désir de fuite et de libération.

Edition : Philippe de Rémi, *Œuvres poétiques,* publiées par H. Suchier, 2 vol., 1884-1885.

Etudes : L. Porter, *La Fatrasie et le fatras. Essai sur la poésie irrationnelle en France au Moyen Age,* Genève, Droz, 1960 ; Paul Zumthor, « Essai d'analyse des procédés fatrasiques », dans *Romania,* t. 84, 1963 ; Patrice Uhl, *La Poésie du non-sens en France aux XIIIe et XIVe siècles. Diversité et solidarité des formes,* thèse soutenue à la Sorbonne nouvelle (Paris III), novembre 1986 ; Jean Dufournet, *Philippe de Beaumanoir ou l'expérience de la limite : du double sens au non-sens* (à paraître).

FATRASIES : I. *Warnaviler,* ferme voisine du fief de Beaumanoir. IV : *une vielle torte* peut se comprendre aussi « une vieille tourte ». V : *Pont :* sans doute s'agit-il de Pont-Sainte-Maxence ; *Verberie* (Oise, arrondissement de Senlis). XI : *Sornais et Ressons :* l'auteur joue sur ces mots, *Sornais* étant pour *Gornais,* Gournay-sur-Aronde (Oise), et *Ressons* désignant Ressons-sur-Matz (Oise) ; *pochons,* louches, pots.

Page 240. LE BÉTOURNÉ

De ce poète qui pratique le non-sens, nous ne savons rien. Faut-il voir dans le mot *bestornez* du premier vers une allusion au trouvère appelé Bestourné dont nous avons cinq chansons et un jeu-parti avec un nommé Gautier, et dont il est question dans les *Chansons satiriques et bachiques du XIIIe siècle,* éditées par Alfred Jeanroy et Arthur Långfors (Champion, 1965, 1re éd., 1921) ?

Edition : Holger Petersen Dyggve, *Moniot d'Arras et Moniot de Paris, trouvères du XIIIe siècle,* Helsinki, 1938, p. 170-173.

OEZ COM JE SUI BESTORNEZ. Vers 27 : le poète appelle son poème *rotroange,* « rotrouenge ». Voir la définition, p. 336.

Page 244. LE COMTE DE LA MARCHE

L'auteur de deux chansons d'amour et d'une pastourelle, désigné par ce nom, est-il Hugues XII, seigneur de Lusignan, comte de la Marche et d'Angoulême, devenu majeur en 1256, croisé en 1270, et qui ne revint pas de la croisade ?

Quant au poème que nous avons retenu, selon Holger Petersen Dyggve, « la forme strophique de cette chanson est entièrement irrégulière... Il s'agit sans doute d'un remaniement, plutôt peut-être d'un conglomérat d'extraits de plusieurs chansons où seuls les couplets I et II seraient authentiques. »

Edition et étude : Holger Petersen Dyggve, « Personnages historiques figurant dans la poésie lyrique française des XIIe et XIIIe siècles : XVI. Le comte de la Marche », dans *Neuphilologische Mitteilungen,* t. 43, 1942, pp. 121-141.

TOUT AUTRESI COM LI RUBIZ. Vers 1 : sur les pierres précieuses au Moyen Age, voir Léopold Pannier, *Les Lapidaires français du Moyen Age des XIIe, XIIIe et XIVe siècles,* Vieweg, 1882.

Page 248. THIBAUT DE BAR

Comte de Bar de 1239 à 1291, date de sa mort, Thibaut II épousa en 1243 Jeanne de Dampierre, fille de Guillaume de Dampierre et de Marguerite, comtesse de Flandre (sur la cour de Flandre, voir préface p. 20). Il se trouva mêlé aux querelles de Flandre (de 1247 à 1256), prenant parti contre Jean d'Avesnes. Ces querelles opposèrent les enfants des deux lits de Marguerite, Jean d'Avesnes provenant du premier lit et les Dampierre du second. Thibaut II fut fait prisonnier à la bataille de West-Capelle en Hollande en 1253 et emmené en Allemagne : c'est à cette occasion qu'il écrivit le poème que nous présentons.

Edition et étude : Holger Petersen Dyggve, « Personnages historiques figurant dans la poésie lyrique française des XIIe et XIIIe siècles, XXIV : Garnier d'Arches et son destinataire " le bon marquis " », dans *Neuphilologische Mitteilungen,* t. 46, 1945, pp. 150-153.

DE NOS SEIGNEURS, QUE VOS EST IL AVIS. Vers 2 : *Conpains Erart* est Érart de Vallery (Vallery dans le canton de Chéroy, Yonne) qui participa aux croisades de saint Louis et à la conquête de Naples par Charles d'Anjou. Mort en 1277. Vers 5 : *thyois,* tudesque, allemand. Vers 7 : le *conte Othon* est Othon III le Boiteux, comte de Gueldre (Pays-Bas) de 1229 à 1271. Vers 8 : *Dux de Braibant,* Henri III, duc de Brabant de 1248 à 1261. Vers 15 : *Bele mere,* Marguerite, comtesse de Flandre et de Hainaut, belle-mère de Thibaut II. Vers 22 : *Bons cuens d'Alos,* Arnoul IV, comte de Loss, comté du pays de Liège, entre 1227 et 1272 ; à plusieurs reprises, on note une confusion entre Loss et Alost (en Flandre). Vers 29 : *mon frere le marchis* est le beau-frère de Thibaut, Henri III le Grand (ou le Blond), comte de Luxembourg de 1226 à 1281 et marquis d'Arlon (voir p. 228 et note).

Page 252. RUTEBEUF

Rutebeuf est un inconnu, d'origine champenoise, mais qui a vécu à Paris dans la seconde moitié du XIIIe siècle, porteur d'un surnom dont il a fait plusieurs fois l'exégèse en *rude* (ou *ruiste,* « impétueux ») *bœuf,* se dissimulant derrière des personnages qu'il joue — le *povre fol,* le mari malheureux, le clerc tourmenté, le martyr de Dieu — et l'œuvre disparate d'un poète de l'actualité, témoin de son temps, incarné dans une histoire concrète qu'aucune question n'a laissé indifférent, ménestrel travaillant à la commande et dépendant d'autrui pour sa subsistance. On lui doit des poèmes satiriques contre les frères mendiants, des poèmes en faveur de la croisade, des poésies jongleresques de l'infortune, des vie de saintes et des poésies à la Vierge, des pièces à rire (monologue et fabliaux). Voir la chronologie, pp. 367-368, entre 1254 et 1277.

Avec Rutebeuf naît une poésie nouvelle, faite non plus pour le chant mais pour la récitation, le lyrisme plus expressionniste d'un jongleur qui mime sa vie, aux prises avec le monde, tendant vers la description, libéré de la tradition aristocratique et courtoise, se penchant sur la réalité médiocre des souffrances, des repentirs et des colères de la vie banale, tout en jouant avec la trame sonore des mots.

Editions : *Œuvres complètes de Rutebeuf,* publiées par Edmond Faral et Julia Bastin, 2 vol., Picard, 1959-1960 ; Rutebeuf, *Poèmes de l'infortune et autres poèmes,* édition et traduction de Jean Dufournet, Poésie/Gallimard, 1986 ; *Œuvres complètes,* éd. bilingue de Michel Zink, Classiques Garnier, t. 1, 1989.

Etudes : Germaine Lafeuille, *Rutebeuf,* Seghers, 1966 ; Nancy Regalado, *Poetic Patterns in Rutebeuf : a study in noncourtly poetic modes of the thirteenth century,* Newhaven-Londres, 1970 ; Jean Dufournet, *Rutebeuf, Poèmes de l'infortune et poèmes de la croisade,* Champion, 1979 ; « L'Univers poétique et moral de Rutebeuf », dans la *Revue des langues romanes,* t. 87, 1984, pp. 39-78 (en collaboration avec François de la Bretèque).

CI ENCOUMENCE LI DIZ DES RIBAUX DE GREIVE. Titre : la Grève était une place de Paris, au bord de la Seine ; c'est aujourd'hui la place de l'Hôtel-de-Ville. C'est là que se réunissaient les ouvriers sans travail : ils allaient en place de Grève, ils faisaient la grève. C'était un port important qui alimentait tout Paris en vin, en blé, en grains, en bois, en charbon, en sel, en foin, un lieu de fêtes populaires et un lieu d'exécution. Vers 5 : le pourpoint était un vêtement de dessous auquel s'attachaient les chausses. Vers 6 : le surcot était une tunique, portée sur la cotte, avec ou sans manches. Vers 12 : *les blanches,* c'est-à-dire les flocons de neige.

C'EST LA PAIZ DE RUTEBUEF. Vers 1 : *mon boen ami,* mon protecteur. Vers 45 : il s'agit du détracteur qui lui a nui.

C'EST DE LA POVRETEI RUTEBUEF. Vers 4 : *frans rois de France,* sans doute Philippe III le Hardi. Vers 20 : *en deus voiages,* sans doute les expéditions de 1272 à Foix et 1276 dans le Béarn. Vers 22-23 : *li lontainz pelerinages de Tunes* est une allusion à l'expédition antérieure de 1270 où mourut saint Louis. Vers 31-32 : jeu de mots à la rime entre *sanz liz* et *Sanliz.* Vers 42 : jeu entre *Pou* (peu) et saint *Pol, Poulz, Pou,* l'apôtre Paul. Vers 44 : *notre,* second mot de la prière et idée de possession (individuelle et collective). Vers 47 : sur *credo,* jeu de mots fréquent au Moyen Age, que reprend encore Villon, à la fois le *credo,* la prière, et le crédit.

LA COMPLAINTE RUTEBEUF. Vers 54-55 : double sens possible : « Mon cheval a cassé la jambe d'une chienne. » Vers 86 : jeu de mots sur *tanner :* 1) « tanner du cuir » ; 2) « faire souffrir ». Vers 141 : au milieu du XIIIe siècle, on s'efforça d'assainir Paris en curant les égouts. Il semble que ce soit un certain maître Orri qui fut chargé de ce service. Vers 162 : il s'agit d'Alphonse, comte de Poitiers et de Toulouse, frère de saint Louis, qui mourut à Savone en 1271, au retour de l'expédition de Tunis. Ce fut l'un des principaux protecteurs de Rutebeuf.

Page 270. **MONIOT DE PARIS**

Cet auteur de neuf chansons était sans doute un ancien moine dont l'instruction première transparaît dans l'usage du genre dit *conductus* et qui a utilisé des modèles latins. Il exerça son activité peu après le milieu du XIIIe siècle. Il s'est également illustré dans la pastourelle, dont on lira ici un exemple. Faut-il l'identifier avec Monniot qui écrivit en 1278-1279 *Le Dit de Fortune ?*

Cette poésie, truffée de diminutifs et de refrains, consacrée à une conception légère et même cynique de l'amour, pleine de vivacité, est, selon Rita Lejeune, « le type même de la poésie, coulant de source ; la phrase est jolie, très courte, sans surcharge », et par là différente de celle de Moniot d'Arras : pas d'incidentes, ni de redondances, ni de personnifications, ni de termes abstraits.

Edition : Holger Petersen Dyggve, *Moniot d'Arras et Moniot de Paris, trouvères du XIIIe siècle,* Helsinki, 1938.

Etude : Rita Lejeune, « Moniot d'Arras et Moniot de Paris », dans *Neuphilologische Mitteilungen,* t. 42, 1941, pp. 1-14.

LONC TENS AI MON TENS USÉ. Vers 9 : de ce refrain *vadu* vient le nom de *vadurie* qui désigne un genre à refrain et hétérométrique.

JE CHEVAUCHOIE L'AUTRIER. Comparer avec la chanson de malmariée de Thibaut de Blaison, p. 160.

Page 278. **JEAN BRETEL**

Chef de l'école poétique arrageoise au XIIIe siècle, peut-être ridiculisé dans *Le Jeu de la Feuillée* par son cadet Adam de la Halle sous les traits de Robert Sommeillon, Jean Bretel (mort en 1272) écrivit surtout des jeux-partis (quatre-vingt-neuf contre sept chansons courtoises) sur un ton souvent ironique ou humoristique, se plaisant à l'ingéniosité et à la fantaisie, n'hésitant pas à débattre de problèmes absurdes ou saugrenus dans un style à la fois pédant et familier, guindé et vulgaire, qui se distingue du style courtois.

JEU-PARTI

Le jeu-parti, dans lequel se sont illustrés Thibaut de Champagne et les poètes arrageois, oppose sur un problème particulier, en rapport souvent avec l'amour, deux poètes qui parlent tour à tour devant deux juges arbitres évoqués à la fin. Ce genre très formalisé, dont les principaux caractères sont ceux du grand chant courtois, explicite, en opposant deux modèles, le contredit devenu notation extérieure et non plus tension intérieure ; incarné dans un contexte historique précis, ce poème tautologique, discursif plutôt que lyrique, est un débat polémique qui utilise des procédés de disqualification de l'adversaire, une poésie de compétition construite comme un débat judiciaire, une déconstruction du discours amoureux (sur l'origine du jeu-parti, voir préface, p. 12). Eu égard à l'habileté de certains de ces textes, il n'est pas évident qu'ils aient été improvisés lors de séances du puy d'Arras (voir préface, p. 20), ni qu'on doive les attribuer à deux auteurs qui se seraient réellement affrontés : pourquoi ne seraient-ils pas l'œuvre d'un seul poète qui prêterait à son opposant des idées et un style en fonction du rôle qu'il lui ferait jouer ?

Edition : *Recueil général des jeux-partis,* publiés par Arthur Långfors, avec le concours d'Alfred Jeanroy et de Louis Brandin, Picard, 1926.

Etudes : Holger Petersen Dyggve, *Onomastique des trouvères,* Helsinki, 1934, pp. 145-150 ; Jean Dufournet, *Adam de la Halle à la recherche de lui-même ou le Jeu dramatique de la Feuillée,* SEDES, 1974, pp. 181-187 ; Michèle Gally, *Rhétorique et histoire d'un genre : le jeu-parti à Arras,* thèse soutenue à l'Université de Paris VII, 1985.

ADAN, D'AMOUR VOUS DEMANT. Vers 1 : *Adan,* Adam de la Halle. Vers 37 : *Ferri* est le chanoine Lambert Ferri, auteur de deux chansons courtoises et de deux chansons religieuses, qui participa surtout à vingt-sept jeux-partis, en particulier avec Jean Bretel. Vers 40 : *Grieviler* est Jean de Grieviler, un des poètes arrageois les plus féconds dans le troisième quart du XIIIe siècle, auteur de sept chansons d'amour, d'un débat entre Raison et Amour, d'une chanson satirique contre une maîtresse hypocrite ; il participa surtout à trente-six jeux-partis (vingt-neuf fois avec Jean Bretel). Voir M. Spaziani, « *Le canzoni di Jehan de Grieviler* », dans *Cultura neolatina,* t. XIV, 1954, p. 135.

Page 282.

JEAN ÉRART

Ce trouvère artésien, qui écrivit entre 1235 et 1258 ou 1259 (date de sa mort), fut en relations avec les poètes Guillaume le Vinier, Jean Bretel, le duc Henri III de Brabant, avec de riches patriciens d'Arras, les Wion et les Crespin. A cet auteur d'une dizaine de chansons courtoises, on doit surtout des pastourelles et des bergeries, savantes, pittoresques et enjouées, assez différentes les unes des autres pour offrir d'intéressantes variations sur des schémas voisins.

Tantôt le poète n'est qu'un spectateur muet et invisible (recueil de Bartsch, pièces 15, 16, 21, 22, 24), tantôt il requiert l'amour et les faveurs de la belle qui, ici, reste fidèle à Robin (n° 24) ou à Perrin (n° 20), là, refuse dans l'immédiat mais laisse espérer le chevalier (n° 18), ailleurs, cède parce qu'elle a des griefs contre Robin, et le poète de préciser que le vainqueur *en prit et reprit* (n° 19), et même elle se moque du pauvre paysan qu'elle traite de *musart musant* (n° 23). Le plus fréquemment, elle occupe le premier plan, mais elle peut pratiquement disparaître, et l'on assiste à l'affrontement de deux bergers, comme dans la pièce 21 où Roger sort un couteau pour frapper Perrin. Tantôt Robin se plaint de la belle (n° 16), tantôt c'est le contraire (n° 19). Tantôt le poète s'oppose à un vilain, tantôt les vilains s'opposent entre eux. Aussi est-on amené à se demander si la femme joue toujours le même rôle, si l'on a une même idéologie de classe dans toutes les pastourelles.

« Dans la pastourelle, les poètes arrageois sont des novateurs : ils enrichissent les sujets et créent des personnages nouveaux ; il ne s'agit pas seulement des trois héros habituels, le berger, la bergère et le chevalier ; il y a en outre la coquette de village, le jaloux brutal, le jeune présomptueux, le musicien étourdi ; le berger, loin d'être couard comme Robin, défie ses adversaires ; l'action se complique, la bergère est courtisée non par deux, mais par trois amants, tandis que le chevalier s'éprend non pas d'une mais de deux jeunes filles à la fois ; les scènes parlées alternent avec des intermèdes musicaux et chorégraphiques.

Avec Jean Érart et Guillaume le Vinier, le cadre de ce genre poétique s'agrandit, les dialogues se multiplient, et la pastourelle tend à prendre un caractère dramatique de plus en plus marqué » (Marie Ungureanu).

Editions : Karl Bartsch, *Altfranzösische Romanzen und Pastourellen,* Leipzig, 1870 ; *Les Poésies du trouvère Jehan Érart,* éd. par Terence Newcombe, Genève, Droz, 1972.

Etude : Marie Ungureanu, *La Bourgeoisie naissante. Société et littérature bourgeoises d'Arras aux XIIe et XIIIe siècles,* Arras, 1955, pp. 164-169.

EL MOIS DE MAI PAR UN MATIN. Vers 21 : *musette,* comme *muse,* désigne un instrument à vent, notre cornemuse.

Page 288. THOMAS HERIER

Ce poète picard dont l'activité se situe entre 1240 et 1270 est l'auteur d'un *descort* (ou lai), de onze chansons d'amour, d'un jeu-parti avec Gillebert de Berneville et peut-être d'un autre avec Guillaume le Vinier.

Edition et étude : Holger Petersen Dyggve, « Personnages historiques figurant dans la poésie lyrique des XIIe et XIIIe siècles, XVII : Thomas Herier et ses protecteurs », dans *Neuphilologische Mitteilungen,* t. 44, 1943, pp. 55-97.

Page 292. ADAM DE LA HALLE

Adam de la Halle qui, surnommé le Bossu (il nie l'être), était appelé à l'étranger Adam d'Arras, vécut dans la seconde moitié du XIIIe siècle. Malgré les hypothèses d'Henri Guy (*Essai sur la vie et les œuvres du trouvère Adam de la Halle,* 1898), sa vie nous échappe presque complètement, et les thèses les plus contradictoires se sont opposées sur les sentiments du poète à l'égard de son père et de sa femme comme sur la chronologie de son œuvre.

Il fit partie de la *maisnie* de Robert II d'Artois, neveu de saint Louis, et il suivit en Italie du Sud le comte d'Artois envoyé par le roi de France au secours de son frère Charles d'Anjou après les Vêpres siciliennes.

Il reste l'un des plus grands poètes du Moyen Age, et avec Jean de Meun et Rutebeuf l'un des phares du XIIIe siècle, dont l'œuvre abondante comporte au premier plan des jeux-partis, les *Congés (*adieu au monde et aux amis, sorte de testament), *Le Jeu de Robin et Marion* qui n'est pas simplement notre premier opéra comique, et son chef-d'œuvre, *Le Jeu de la Feuillée* (1276), pièce moderne et complexe, parabole du poète dans la cité, psychodrame de la vie arrageoise, où les confidences de l'auteur et la critique d'Arrageois connus se mêlent à la satire de types traditionnels et à la parodie de genres littéraires (chansons, romans arthuriens, jeux-partis...) dans une ambiance carnavalesque ; mais il a écrit aussi de multiples chansons, des motets, des rondeaux, des strophes sur la Mort, un *Dit d'Amours* qui révèlent le talent exceptionnel et varié du dernier des grands trouvères qui fut, de surcroît, un musicien de premier plan.

Editions : Gaston Raynaud, *Recueil de motets français des XIIe et XIIIe siècles,* Champion, 1881-1883 ; R. Berger, *Canchons und Partures des altfranzösischen Trouvère Adam de la Halle, le Bochu d'Arras,* Halle, 1900 ; L. Nicod, *Les Jeux-partis d'Adam de la Halle,* 1917 ; N. Wilkins, *The Lyric Works of Adam de la Halle (Chansons, Jeux-Partis, Rondeaux, Motets),* American Institute of Musicology, 1967 ; J. H. Marshall, *The Chansons of Adams de la Halle,* Manchester, 1971.

Etudes : Marie Ungureanu, *La Bourgeoisie naissante. Société et littérature bourgeoises d'Arras aux XIIe et XIIIe siècles,* Arras, 1955 ; Paul Zumthor, « Entre deux esthétiques : Adam de la Halle », dans les *Mélanges... offerts à Jean Frappier,* Genève, 1970, t. 2, pp. 1155-1171 ; Jean Dufournet, *Adam de la halle à la recherche de lui-même ou le Jeu dramatique de la Feuillée,* SEDES, 1974.

GLORÏEUSE VIRGE MARIE. Vers 29 : *Jacobins,* ou dominicains, ou frères prêcheurs ; Vers 30 : *Freres menus,* ou mineurs, ou franciscains, ou cordeliers.

LI DOUS MAUS ME RENOUVIELE. Vers 19-20 : proverbe. Vers 30 : *ahymans, aïmant :* diamant, aimant — considéré comme quelque chose de très dur.

OR EST BAIARS EN LA PASTURE. Vers 1 : *Baiars* est le cheval Bayard des quatre Fils Aymon (chanson de geste du début du XIIIe siècle).

DIEX SOIT EN CHESTE MAISON. Vers 7 : *pareisis,* denier parisis, qui valait deux mailles ; un sou valait douze deniers.

J'OS BIEN A M'AMIE PARLER. Cette pièce est un motet.

Page 310. JACQUES DE CAMBRAI

De la vie de Jacques de Cambrai, nous ne pouvons rien dire, sinon qu'il a vécu vers la fin du XIIIe siècle, puisqu'il a imité une chanson de Colart le Bouteillier (deuxième tiers du XIIIe siècle). Comme l'a écrit Jean-Claude Rivière, ce n'est certes pas un très grand poète, mais la diversité de son œuvre (quatre chansons d'amour, sept poèmes religieux et une pastourelle) et une certaine habileté technique permettent d'étudier différents aspects de la lyrique courtoise médiévale.

Edition : *Les Poésies du trouvère Jacques de Cambrai,* éd. par Jean-Claude Rivière, Genève, Droz, 1978.

Page 320. GUILLAUME DE BÉTHUNE

On ne sait rien de ce poète qui vécut sans doute à la fin du XIIIe siècle et qui a traité le thème du pressoir mystique, né sans doute d'un passage de saint Augustin : *Primus botrus in torculari pressus est Christus,* « La première grappe à être pressée dans le pressoir, c'est le Christ ».

Edition : Edward Järnström et Arthur Långfors, *Recueil de chansons pieuses du XIIIe siècle,* 2 vol., Helsinki, 1910-1927, t. 1, pp. 161-164.

Etude : Emile Mâle, *L'Art religieux de la fin du Moyen Age,* A. Colin, 1931, pp. 111 et suiv.

CHRONOLOGIE

Littérature		*Histoire générale*
Poésies de Bernard de Ventadour et de Raimbaut d'Orange. Chansons de geste : *Le Couronnement de Louis, Le Charroi de Nîmes, Girart de Roussillon. Roman de Thèbes, Conte de Floire et Blancheflor. Sentences* de Pierre Lombard. *Ysengrimus,* de Nivard.	1150	Fondation de Moscou ; on commence la nef de la cathédrale du Mans.
	1151	Grande famine en Allemagne.
	1152	Aliénor d'Aquitaine, répudiée par Louis VII, épouse Henri Plantagenêt.
	1153	Mort de saint Bernard ; début de la construction des cathédrales de Noyon et de Senlis.
Jeu d'Adam.	1154	Henri II Plantagenêt roi d'Angleterre. Prise de Damas par Nouraddin.
Roman de Brut, de Wace.	1155	Frédéric Barberousse empereur d'Allemagne.
	1157	Rupture de l'empereur avec la chrétienté.
Roman d'Énéas.	1158	Début de l'essor de Lübeck.
	1159	Alexandre III, pape.
Roman de Troie, de Benoît de Sainte-Maure. *Roman de Rou,* de Wace. *Policraticus,* de Jean	1160	Début de la construction de la cathédrale de Laon.

Littérature		*Histoire générale*
de Salisbury. Premières œuvres de Chrétien de Troyes : *Philomena,* chansons d'amour, *Guillaume d'Angleterre.*		
	1162	Grande famine en Occident. Frédéric Barberousse prend et détruit Milan.
	1163	Début de la construction de Notre-Dame de Paris.
	1164	Création de l'archevêché d'Upsala en Suède.
Érec et Énide de Chrétien de Troyes. *Lais* de Marie de France. Chanson de geste : *Le Moniage Guillaume.* Poésies de Guiraut de Borneilh et de l'Archipoète, le plus grand des goliards.	1165	Canonisation de Charlemagne. Prise de Rome par Frédéric Barberousse.
	1167	Concile cathare de Saint-Félix-de-Caraman.
Historia rerum in partibus transmarinis gestarum ou *Historia Hierosolymitana,* de Guillaume de Tyr. *Ars versificatoria,* de Mathieu de Vendôme. *Livre des manières,* d'Étienne de Fougères.	1170	Assassinat de Thomas Becket.
	1171	Pierre Valdès commence sa prédication pour une vie pauvre et évangélique : naissance du mouvement vaudois. Émeutes à Constantinople contre les Vénitiens.
Rédaction, entre 1174 et 1179, des plus anciennes branches du *Roman de Renart* (II, V*a*, III, IV, XIV, V, XV, I). *Tristan,* de Thomas.	1174	Baudouin IV le Lépreux, roi de Jérusalem. Privilèges accordés par le pape aux maîtres et étudiants de Paris. Canonisation de saint Bernard. Création de gardes de foire par le comte de Champagne, Henri Ier.
	1175	Début de la construction de la cathédrale de Cantorbéry.

Littérature		*Histoire générale*
Cligès, de Chrétien de Troyes. *Éracle* et *Ille et Galeron*, de Gautier d'Arras.	1176	L'Asie Mineure tombe sous la domination turque. Les villes lombardes l'emportent sur l'empereur à Legnano.
Rédaction par Chrétien de Troyes, entre 1177 et 1181, du *Chevalier au lion* (*Yvain*) et du *Chevalier de la charrette* (*Lancelot*).	1177	Raymond V de Toulouse dénonce à l'ordre de Cîteaux le péril cathare.
Branche X du *Roman de Renart*. *Roman d'Alexandre*, de Lambert le Tort.	1180	Philippe Auguste roi. Condamnation des Vaudois par l'Église. Apparition des moulins à vent en Normandie et en Angleterre.
Fables, de Marie de France. *Le Conte du Graal* (*Perceval*), de Chrétien de Troyes. Poésies de Guiot de Provins, Huon d'Oisy, Conon de Béthune, Gace Brulé, Blondel de Nesle, Guy de Coucy. *Roman de Partonopeus de Blois*. Chansons de geste : *Raoul de Cambrai, Aliscans, Chanson d'Antioche, Chanson de Jérusalem*. Poésies d'Arnaut Daniel et de Bertran de Born.	1182	
	1183	Frédéric Barberousse reconnaît la liberté des villes lombardes. Porche gothique de la Gloire à Saint-Jacques de Compostelle.
	1184	Création de l'inquisition épiscopale.
De Amore, d'André le Chapelain.	1185	
	1187	Saladin prend Jérusalem. De 1187 à 1191, Troisième Croisade.
Florimont, d'Aymon de Varennes. *Chanson d'Aspremont*.	1188	
	1189	Richard Cœur-de-Lion, roi d'Angleterre.
Branches VI, VIII et XII du *Roman de Renart*, puis branches I*a* et I*b*.	1190	Henri VI empereur. Fondation des Chevaliers teutoniques.

Littérature		Histoire générale
Espugatoire Saint Patrice, de Marie de France. *Histoire de la Troisième Croisade,* d'Ambroise.	1191	Les Croisés s'emparent de Saint-Jean d'Acre. Apparition de la boussole en Occident. Rédaction des premiers traités de droit féodal. Début de la construction des cathédrales de Bourges et de Chartres.
Vers de la Mort, d'Hélinand de Froimont. *Expositio in Apocalypsim,* de Joachim de Flore. *Tristan* de Béroul et d'Eilhart d'Oberg (à dater du troisième tiers du siècle, selon Jean Frappier). Branches VII et XI du *Roman de Renart.* Chansons de geste : *La Prise d'Orange, Garin le Lorrain, Chanson des Saisnes,* de Jean Bodel. *Aucassin et Nicolette*(?). *Poème moral. Ipomédon,* de Hue de Rotelande. *Le Bel Inconnu,* de Renaut de Bâgé.	1195	
	1196	Effroyable famine en Occident. Les grands vassaux rédigent les premières chartes d'hommage à Philippe Auguste.
	1197	Avènement de Gengis Khan.
Robert de Boron, *Le Roman de l'Estoire dou Graal. Fabliaux,* de Jean Bodel. Chansons de geste : *La Chevalerie Vivien, Fierabras.*	1198	Mort d'Averroès. Innocent III, pape.
	1199	Jean sans Terre, roi d'Angleterre. Thibaut III de Champagne, Louis de Blois et Villehardouin prennent la croix et préparent la Quatrième Croisade.
Robert de Boron, *Joseph et Merlin* en prose. Chansons de geste : *Les Quatre Fils Aymon, Ami et Amile, Girart de Vienne, Girart de Roussillon. L'Escou-*	1200	Fondation de Riga. Ruine de la civilisation maya.

Littérature		Histoire générale
fle et *Le Lai de l'Ombre*, de Jean Renart.		
Congés, de Jean Bodel. Poèmes du vidame de Chartres. Mort de Joachim de Flore.	1202	Philippe Auguste confisque les fiefs français de Jean sans Terre. Quatrième Croisade. Début de la construction de la cathédrale de Rouen.
	1204	Prise de Constantinople par les Croisés. Fondation de l'empire latin de Constantinople. Unification de la Mongolie par Gengis Khan. Mort d'Aliénor d'Aquitaine.
Bible, de Guiot de Provins. Poèmes de Peire Cardenal.	1205	Baudouin Ier de Constantinople est capturé par les Bulgares (bataille d'Andrinople).
	1207	Mission de saint Dominique en pays albigeois.
Histoire ancienne jusqu'à César.	1209	Le Concile d'Avignon interdit danses et jeux dans les églises. Début de la croisade contre les Albigeois. Première communauté franciscaine. Gengis Khan attaque la Chine.
Le Roman de la Rose ou de Guillaume de Dole, de Jean Renart. *Chroniques*, de Robert de Clari et de Villehardouin. *Chanson de la croisade albigeoise* (première partie). *Meraugis de Portlesguez* et *Vengeance Raguidel*, de Raoul de Houdenc. *Les Narbonnais*.	1210	Interdiction aux maîtres parisiens d'enseigner la métaphysique d'Aristote.
	1211	Début de la construction de la cathédrale de Reims.
	1212	Enceinte de Philippe Auguste autour de Paris.
	1213	Simon de Montfort écrase les Albigeois à Muret.
Les Faits des Romains.	1214	Victoire française de Bouvines. Premiers privilèges accordés à Oxford.

Littérature		*Histoire générale*
Bible, d'Hugues de Berzé. *Durmart le Gallois.*	1215	Grande charte en Angleterre. Statuts de l'Université de Paris. Quatrième concile de Latran. Prise de Pékin par les Mongols.
	1216	Frédéric II roi des Romains. Henri III roi d'Angleterre. Honorius III pape. Approbation papale de l'ordre des frères prêcheurs.
	1217	Famine en Europe centrale et orientale. Chœur de la cathédrale du Mans.
	1218-1222	Cinquième Croisade.
Miracles de Notre-Dame, de Gautier de Coinci. *Huon de Bordeaux.*	1220	Frédéric II empereur. Vitraux de Chartres. Album de l'architecte Villard de Honnecourt. *Pratique de la géométrie,* de Léonard Fibonacci.
	1221	Raid mongol en Russie.
Poèmes de Huon de Saint-Quentin.	1222	
	1223	Louis VIII roi de France. Approbation par Honorius III de la règle franciscaine.
	1224	Stigmates de saint François d'Assise. Famine en Occident (jusqu'en 1226).
Lancelot en prose. *Perlesvaus. Jaufré. Le Besant de Dieu,* de Guillaume le Clerc.	1225	
Vie de Guillaume le Maréchal.	1226	Louis IX (le futur saint Louis) roi de France. Régence de Blanche de Castille. Mort de saint François d'Assise. *Cantique du Soleil.* Début de la construction de la cathédrale de Burgos.
	1227	Concile de Trèves. Grégoire IX pape. Début de la construction des cathédrales de Trèves et de Tolède. Mort de Gengis Khan.

Littérature		Histoire générale
Le Roman de la Rose, de Guillaume de Lorris. A cette époque, poésies de Thibaut IV de Champagne, de Moniot d'Arras, de Guillaume le Vinier, de Guiot de Dijon, de Thibaut de Blaison.	1228	Canonisation de saint François d'Assise. Sixième Croisade.
	1229	Annexion du Languedoc au domaine royal. Grève de l'Université de Paris (jusqu'en 1231).
Quête du saint Graal. La Mort le roi Artu. Tristan en prose. *Roman de la Violette* et *Continuations de Perceval,* de Gerbert de Montreuil.	1230	Les Commentaires d'Averroès sur Aristote pénètrent en Occident.
	1231	Le pape Grégoire IX confie l'Inquisition aux frères mendiants.
	1232	Invasion mongole en Europe orientale (jusqu'en 1242).
	1234	Canonisation de saint Dominique. Majorité de Louis IX. *Décrétales,* traité de droit canon de Raymond de Penafort.
Le Tournoiement de l'Antéchrist, de Huon de Méry.	1235	Sculptures de la cathédrale de Reims.
	1236	Papier-monnaie en Chine.
	1238	Prise de Valence par les Aragonais.
	1239	Rappel du Parlement en Angleterre. Tentative de reprise de la croisade, jusqu'à Gaza.
Poèmes de Philippe de Nanteuil, de Robert de Memberolles. *Guiron le Courtois. L'Estoire Merlin. L'Estoire del saint Graal.*	1240	Destruction de Kiev par les Mongols. Révolte des Prussiens contre les Chevaliers teutoniques. Traduction de l'*Éthique* d'Aristote par Robert Grossetête.
	1241	Villard de Honnecourt en Hongrie. Destruction de Cracovie par les Mongols.
	1242	Victoires de saint Louis à Taillebourg et Saintes.

Littérature		*Histoire générale*
	1243	Innocent IV pape. Écrasement des Seldjoukides par les Mongols. Début de la construction de la Sainte-Chapelle.
	1244	Perte définitive de Jérusalem par les chrétiens.
	1245	Enseignement à Paris de Roger Bacon et Albert le Grand. Début de la construction de l'abbaye de Westminster.
	1246	Charles d'Anjou (le frère de saint Louis) comte de Provence.
	1247	Cathédrale de Beauvais.
L'Image du Monde, de Gossuin de Metz. Romans (*La Manekine, Jehan et Blonde*) et poèmes (*Fatrasies*) de Philippe de Beaumanoir.	1248	Septième Croisade : saint Louis en Égypte. Prise de Séville par les Castillans. Début de la construction de la cathédrale de Cologne.
Chansons de Colin Muset, de Garnier d'Arches, de Jean Érart. *Roman de la Poire,* de Tibaut. *Historia Tartarorum,* de Simon de Saint-Quentin. *Grand Coutumier* de Normandie. *Li Remedes d'Amours,* de Jacques d'Amiens. *Speculum majus,* encyclopédie de Vincent de Beauvais.	1250	Constitution du Parlement de Paris. Nouveaux affranchissements de serfs. Saint Louis est vaincu à Mansourah. La mort de Frédéric II ouvre dans l'Empire une crise qui durera jusqu'en 1273.
	1251	Le *Paradisus magnus* transporte deux cents passagers de Gênes à Venise.
	1252	La monnaie d'or apparaît à Gênes et à Florence. Innocent IV autorise l'Inquisition à utiliser la torture. Mort de Blanche de Castille. Thomas d'Aquin enseigne à Paris (jusqu'en 1259).
Mort de Thibaut IV de Champagne. Poèmes de Thibaut II de Bar.	1253	Le plus ancien exemple d'escompte connu. Condamnation des clercs bigames à Arras. Guillaume de Rubrouck chez

Littérature		*Histoire générale*
		les Mongols. Église supérieure d'Assise.
Discorde de l'Université et des Jacobins, de Rutebeuf.	1254	Saint Louis ordonne une enquête sur la gestion des baillis. Emploi des chiffres arabes et du zéro en Italie. Conflit entre les réguliers et les séculiers à l'Université de Paris : Guillaume de Saint-Amour attaque les ordres mendiants dans le *De Periculis novissimorum temporum.*
Légende dorée, de Jacques de Voragine. *Chronica majora,* de Mathieu Paris. *Armorial Bigot,* début du langage héraldique.	1255	
Le Pharisien et *Le Dit de Guillaume de Saint-Amour,* de Rutebeuf.	1257	Robert de Sorbon fonde à Paris la Sorbonne, à l'origine collège pour théologiens. Miniatures du psautier de saint Louis.
Complainte de Guillaume de Saint-Amour, de Rutebeuf.	1258	Prise de Bagdad par les Mongols. Michel VIII Paléologue empereur byzantin.
Itinéraire de l'esprit vers Dieu, de saint Bonaventure. *Bataille des vices contre les vertus,* de Rutebeuf.	1259	Traité entre la France et l'Angleterre.
Récits du Ménestrel de Reims. *Méditations* du Pseudo-Bonaventure. *Les Ordres de Paris,* de Rutebeuf.	1260	Interdiction par saint Louis de la guerre privée, du duel judiciaire et du port d'armes. Le moulin à vent se répand en Occident. Portail de la Vierge à Notre-Dame de Paris. Chaire du baptistère de Pise, de Nicola Pisano.
Renart le Bétourné, de Rutebeuf.	1261	Fin de l'empire latin de Constantinople. Louis IX interdit sa cour aux jongleurs.
Poèmes de l'infortune, Voie de Paradis, Vie de sainte Marie l'Égyptienne, et peut-être *Miracle de Théophile,* de Rutebeuf. *L'Enseignement des princes,* de	1262	Gothique flamboyant de Saint-Urbain de Troyes.

Littérature		Histoire générale
Robert de Blois. *Le Livre de Philosophie,* d'Alard de Cambrai. Poèmes du comte de la Marche.		
	1263	Écu d'or en France. Famine en Bohême, Autriche et Hongrie.
Le Livre du Trésor, de Brunetto Latini.	1264	Institution de la Fête-Dieu pour toute l'Église latine.
Opera, de Roger Bacon. Chansons de croisade de Rutebeuf : *Chanson de Pouille, Complainte d'Outremer, Croisade de Tunis, Débat du Croisé et du Décroisé.*	1265	Charles d'Anjou entreprend la conquête du royaume de Sicile. Clément V établit le droit des papes à s'attribuer tous les bénéfices ecclésiastiques.
Somme théologique, de Thomas d'Aquin.	1266-1274	
	1267	Naissance de Giotto.
	1268	Découverte par Peregrinus de l'attraction entre deux pôles magnétiques. Moulins à papier à Fabriano. Début de la seconde querelle entre frères mendiants et universitaires (cf. 1254) à Paris. Chaire de la cathédrale de Sienne, de Nicola Pisano.
	1269	*Lettre sur l'aimant,* de Pierre de Maricourt.
Vie de saint Quentin, de Huon de Cambrai. Poésies de Baudouin de Condé.	1270	Mort de saint Louis à Tunis lors de la Huitième (et dernière) Croisade. Philippe III le Hardi roi de France. Première condamnation de l'averroïsme et de Siger de Brabant. *Le Jugement dernier* au tympan de la cathédrale de Bourges.
	1271	Rattachement de la France d'oc à la France d'oïl. Début du voyage et du long séjour de Marco Polo en Chine et dans l'Asie du Sud-Est.

Littérature		*Histoire générale*
Mort de Baude Fastoul, auteur de *Congés,* et de Robert le Clerc (*Les Vers de la Mort*). Œuvres d'Adenet le Roi. Mort de Jean Bretel, auteur de jeux-partis. *Congés* d'Adam de la Halle.	1272	Édouard Ier, roi d'Angleterre. *Portrait de saint François d'Assise,* de Cimabue.
Grandes chroniques de Saint-Denis.	1274	Concile de Lyon : tentative d'union des Églises. Mort de saint Thomas et de saint Bonaventure.
Seconde partie du *Roman de la Rose,* par Jean de Meun. *Speculum judiciale,* encyclopédie juridique de Guillaume Durand. *Chirurgia* de Guillaume de Saliceto de Bologne.	1275	On brûle des sorcières à Toulouse.
Le Jeu de la Feuillée, d'Adam de la Halle.	1276	Les Mongols dominent la Chine.
Nouvelle Complainte d'Outremer, de Rutebeuf. *Escanor,* de Girard d'Amiens.	1277	L'évêque de Paris condamne les doctrines thomistes et averroïstes, et l'*Art d'aimer* d'André le Chapelain.
Le Dit de Fortune, de Monniot.	1278	Disgrâce et pendaison de Pierre de la Brosse, haut dignitaire du royaume.
Somme le Roi, de frère Laurent.	1279	Construction d'un observatoire à Pékin. Activité d'Albert le Grand.
Flamenca, Joufroi de Poitiers. Diffusion du *Zohar,* somme de la cabale théosophique, et des *Carmina burana,* anthologie des poèmes goliardiques écrits en latin par des clercs émancipés qui chantent le vin, l'amour, la liberté.	1280	Grèves et émeutes urbaines un peu partout, à Bruges, Douai, Tournai, Provins, Rouen, Béziers, Caen, Orléans. Répression de la grève des tisserands de Douai par l'échevin, Jean Boinebroke. Achèvement de Saint-Denis.
	1282	Les Français sont chassés de Sicile (Vêpres siciliennes) et remplacés par les Aragonais. Andronic II empereur de Constantinople. Cathédrale d'Albi.
Les Coutumes de Beauvaisis,	1283	Achèvement de la conquête de la

Littérature		Histoire générale
traité de jurisprudence de Philippe de Beaumanoir, fils de l'auteur des *Fatrasies*. *Le Livre de l'Ordre de chevalerie*, *Doctrina pueril* et *Blanquerna* (comprenant le *Livre de l'Ami et de l'Aimé*), de Raymond Lulle.		Prusse par les Chevaliers teutoniques.
	1284	Croisade d'Aragon. Les foires de Champagne passent sous le contrôle du roi de France. Effondrement des voûtes de la cathédrale de Beauvais.
La Châtelaine de Vergy.	1285	Philippe IV le Bel, roi de France. Édouard Ier soumet le pays de Galles. La victime d'une épidémie est disséquée à Crémone. *Madame Rucellai*, de Duccio, à Sienne.
	1288	Révolte des artisans à Toulouse. Cologne devient ville libre en s'affranchissant de la tutelle de son archevêque. Départ pour la Chine de frère Jean de Montecorvino. Début de la construction du palais communal de Sienne.
L'Art de démonstration, *L'Art de philosophie désiré* et *L'Art d'aimer le bien*, de Raymond Lulle. *Renart le Nouvel*, de Jacquemart Gielée.	1289	
Œuvres de Duns Scot. *Roman du Châtelain de Coucy*, de Jakemes. Traduction de *L'Art d'aimer* d'André le Chapelain, par Drouart la Vache. *Cléomadès*, d'Adenet le Roi. Concours poétique de Rodez avec Guiraut Riquier.	1290	Expulsion des Juifs d'Angleterre par Édouard Ier. Apparition du rouet. L'Angleterre exporte 30 000 sacs de laine. *Vierge dorée*, d'Amiens.
	1291	Naissance de la Confédération helvétique. Chute de Saint-Jean

Littérature		*Histoire générale*
		d'Acre et fin de la Syrie franque. Début de la construction de la cathédrale d'York.
	1292	Paris compte 130 métiers organisés.
	1294	Guerre franco-anglaise pour la Guyenne. Philippe le Bel dévalue la monnaie. Boniface VIII pape. Début de la construction de Santa Croce à Florence.
Vita nuova, de Dante.	1295	Edouard Ier appelle les représentants de la bourgeoisie au Parlement anglais.
	1296	Giotto commence à peindre à Assise la *Vie de saint François.*
Armorial Chiflet, traité d'héraldique.	1297	Édouard Ier reconnaît les prérogatives financières du Parlement anglais. L'aristocratie de Venise n'admet plus en son sein les hommes nouveaux.
Le Livre des Merveilles, de Marco Polo.	1298	Liaisons régulières par mer entre Gênes, la Flandre et l'Angleterre.
Lamentationes Mattheoli, satire contre les femmes. *Voie de Paradis,* de Baudouin de Condé. *La Panthère d'Amour,* de Nicolas de Margival. *Passion du Palatinus. Armorial Galloway,* traité d'héraldique.	1300	Usage des lunettes. Développement en Italie de la lettre de change. Fin du commerce des esclaves, sauf en Espagne. Eckhart le mystique à Cologne.

INDEX

LES GRANDS POÈTES

DERNIÈRES PARUTIONS

185.	Federico García Lorca	*Suites. Sonnets de l'amour obscur.*
186.	Maurice Scève	*Délie.*
187.	Georges-Emmanuel Clancier	*Le paysan céleste.*
188.	Victor Hugo	*La Fin de Satan.*
189.	Goethe	*Le Divan.*
190.	Marguerite Yourcenar	*La Couronne et la Lyre.*
191.	***	*Anthologie de la poésie française du XIXe siècle, I.*
192.	Paul Claudel	*Art Poétique.*
193.	Philippe Soupault	*Georgia. Épitaphes. Chansons.*
194.	Victor Hugo	*L'Année terrible.*
195.	Nicolas Boileau	*Satires. Épîtres. Art poétique.*
196.	Jorge Luis Borges	*Œuvre poétique, 1925-1965.*
197.	Alain Bosquet	*Poèmes, un.*
198.	Pierre de Ronsard	*Les Quatre Saisons.*
199.	André Frénaud	*La Sainte Face.*
200.	Guillevic	*Du domaine.*
201.	Henri Michaux	*Plume.*
202.	Charles Leconte de Lisle	*Poèmes barbares.*
203.	Victor Segalen	*Odes. Thibet.*
204.	Charles Péguy	*Le Porche du mystère de la deuxième vertu.*
205.	Michel Deguy	*Poèmes II (1970-1980).*
206.	André Salmon	*Carreaux.*
207.	Robert Mallet	*Quand le miroir s'étonne.*
208.	André Gide	*Les Cahiers et les Poésies d'André Walter.*
209.	Rutebeuf	*Poèmes de l'infortune.*

238.	Octavio Paz	*Le feu de chaque jour.*
239.	Claude Roy	*À la lisière du temps.*
240.	Edmond Jabès	*Le Seuil Le Sable.*
241.	Pierre Louÿs	*Les Chansons de Bilitis.*
242.	Miguel Angel Asturias	*Poèmes indiens.*
243.	Georg Trakl	*Crépuscule et déclin.*
244.	Henri Michaux	*Misérable miracle.*
245.	Eugène Guillevic	*Étier* suivi de *Autres.*
246.	Adonis	*Mémoire du vent.*
247.	Max Jacob	*Poèmes de Morven le Gaëlique.*
248.	Dylan Thomas	*Vision et Prière.*
249.	***	*Chansons françaises de la Renaissance.*
250.	Eugenio Montale	*Poèmes choisis (1916-1980).*
251.	Herman Melville	*Poèmes de guerre.*
252.	André du Bouchet	*Dans la chaleur vacante.*
253.	Gaspara Stampa	*Poèmes.*
254.	Daniel Boulanger	*Intailles.*
255.	Martial	*Épigrammes.*
256.	Michel-Ange	*Poèmes.*
257.	John Donne	*Poèmes.*
258.	Henri Michaux	*Face aux verrous.*
259.	William Faulkner	*Le Faune de marbre. Un rameau vert.*
260.	Walt Whitman	*Poèmes.*
261.	Stéphane Mallarmé	*Poésies.*
262.	Yves Bonnefoy	*Rue Traversière.*
263.	***	*Anthologie de la poésie française du* XIX*e siècle,* II.
264.	Hugo von Hofmannsthal	*Lettre de Lord Chandos.*
265.	Paul Valéry	*Ego scriptor.*
266.	Goethe	*Élégie de Marienbad.*
267.	Lorand Gaspar	*Égée. Judée.*
268.	Jacques Réda	*Les Ruines de Paris.*
269.	Jude Stéfan	*À la Vieille Parque.*
270.	Rainer Maria Rilke	*Lettres à un jeune poète.*
271.	Pierre Torreilles	*Denudare.*
272.	Friedrich Hölderlin	*Odes. Élégies. Hymnes.*
273.	W.B. Yeats	*Quarante-cinq poèmes.*
274.	Bernard Noël	*La Chute des temps.*

275.	***	*Anthologie de la poésie russe.*
276.	André Chénier	*Poésies.*
277.	Philippe Jaccottet	*À la lumière d'hiver.*
278.	Daniel Boulanger	*Hôtel de l'image.*
279.	Charles Leconte de Lisle	*Poèmes antiques.*
280.	Alexandre Pouchkine	*Poésies.*
281.	Elizabeth Browning	*Sonnets portugais.*
282.	Henri Michaux	*L'infini turbulent.*
283.	Rainer Maria Rilke	*Élégies de Duino. Sonnets à Orphée.*
284.	Maurice Blanchard	*Les Barricades mystérieuses.*
285.	Omar Khayam	*Rubayat.*
286.	Agrippa d'Aubigné	*Les Tragiques.*
287.	Jean Cassou	*Trente-trois sonnets composés au secret.*
288.	***	*La planche de vivre.*
289.	Pierre Jean Jouve	*Dans les années profondes.*
290.	John Milton	*Le Paradis perdu.*
291.	Pablo Neruda	*La Centaine d'amour.*
292.	Yves Bonnefoy	*Ce qui fut sans lumière.*
293.	Pier Paolo Pasolini	*Poèmes de jeunesse et quelques autres.*
294.	Jacques Audiberti	*Ange aux entrailles.*
295.	Henri Pichette	*Apoèmes.*

Ce volume,
le deux cent trente-deuxième de la collection Poésie
a été achevé d'imprimer sur les presses
de l'imprimerie Bussière à Saint-Amand (Cher),
le 12 octobre 1995.
Dépôt légal : octobre 1995.
1er dépôt légal dans la collection : septembre 1989.
Numéro d'imprimeur : 2688.
ISBN 2-07-032462-1./Imprimé en France.

74818